LA CHANCA

JUAN GOYTISOLO

LA CHANCA

BIBLIOTECA BREVE
EDITORIAL SEIX BARRAL, S. A.
BARCELONA - CARACAS - MÉXICO

Primera edición: 1962
(Librería Española, París)

Cubierta: Fotografía de
Carlos Pérez Siquier

Primera edición
en Biblioteca Breve: abril de 1981
Segunda edición: mayo de 1981

Tambor del Bruc, 10 - Sant Joan Despí (Barcelona)

ISBN: 84 322 0391 2
Depósito Legal: B. 17.135 - 1981

Printed in Spain

A la memoria de
Elio Vittorino

I

Los españoles ignorábamos difícilmente la ausencia de España. Cuando era estudiante, hace ya algunos años, mi gran empeño consistía en cruzar los Pirineos, recorrer Europa, desentenderme de cuanto ocurría en la Península. Había llegado a un límite extremo de saciedad y todo lo español me irritaba. Estaba convencido de que fuera se respiraba mejor. Frente a lo [illegible] que me habían enseñado —las clases, los sermones, la radio, los diarios—, y Europa me parecía una cura de desintoxicación necesaria para volver a ser yo mismo.

Durante noches y noches había madurado los planes de mi evasión. Tenía veinte años y me encontraba [illegible] [illegible] [illegible] [illegible] dicho que [illegible] del [illegible] [illegible] a pensar que no [illegible] [illegible] la [illegible] Cualquiera [illegible] me parecía más lógica que la que [illegible] [illegible] el [illegible] [illegible] [illegible] de mis compatriotas [illegible] y en lugar de [illegible] la [illegible] que me cerraba a cal y canto.

[illegible] de [illegible] los primeros [illegible] el recuerdo de lo que [illegible] —la [illegible] en mis noches con [illegible] los [illegible] de [illegible] la radio [illegible] se había [illegible] la de-

1

LOS ESPAÑOLES aguantamos difícilmente la ausencia de España. Cuando era estudiante, hace ya algunos años, mi gran empeño consistía en cruzar los Pirineos, recorrer Europa, desentenderme de cuanto ocurría en la Península. Había llegado a un límite extremo de saciedad y todo lo español me irritaba. Estaba convencido de que fuera se respiraba mejor. Quería olvidar lo que me habían enseñado —las clases, los sermones, la radio, los diarios— y Europa me parecía una cura de desintoxicación necesaria para volver a ser yo mismo.

Durante noches y noches había madurado los planes de mi evasión. Tenía veinte años y me encontraba extraño en mi propio país. Porque me habían dicho que era el mejor del mundo me inclinaba a pensar que no había otro peor en la tierra. Cualquier existencia me parecía más lógica que la que yo soportaba. No compraba el periódico, no asistía a las clases, no escuchaba la radio. La vida de mis compatriotas discurría independiente de la mía y, en lugar de escarbar la corteza y tratar de comprender, me cerraba a cal y canto.

Un día vi realizados mis deseos y, lenta, penosamente, empecé a rectificar. Pasados los primeros meses de excitación, el recuerdo de lo que había dejado —la tierra, la niñez, los amigos— se insinuó en mis noches con igual intensidad con que —años antes— me asediaron los proyectos de huida. Ya no me acordaba de las clases, los sermones, la radio, los diarios. Cuanto me exasperaba se había emborronado con la distancia y el tiempo, y revivía un poco como un convaleciente, después de una larga, aburridísima enfermedad.

Cada mañana, al despertarme, repasaba ansiosamente el periódico. Mis ojos se habían acostumbrado a ver a la primera ojeada y el corazón me latía más aprisa leyendo CÓRDOBA, MADRID, BARCELONA, ASTURIAS, ASTURIAS. Los días en que la prensa callaba y todo era silencio bajo el cielo gris, una voz rondaba no obstante mi memoria y era la voz de la infancia y de la tierra, el recuerdo de un paisaje con sol, de unos hombres en cólera —imágenes lejanas y casi olvidadas, que me obsesionaban desde niño.

La voz sonaba en mí milagrosamente y, con ella, me parecía haber recuperado toda mi infancia. Ya no me sentía extranjero, sin raíces. Cuando niño, mi vida se había desenvuelto como a los acordes de una música melodiosa y alegre; luego, de la noche a la mañana, la música había cesado, llena de estridencias, como si alguien hubiese rayado el disco. Fueron años de espera, de búsqueda impaciente, durante los que había vivido como en el aire. Y, de pronto, cuando desesperaba casi, volvía a escuchar la música familiar y la música se confundía con la voz de mi pueblo, formaba con ella una sola cosa y me devolvía intacta mi perdida niñez y el calor de treinta millones de hermanos.

La música, la voz, me dieron el deseo de viajar. Europa había dejado de interesarme y comencé a recorrer los pueblos de la Península. Quería conocer la vida de "los millones de hombres sin historia" de que nos habla Unamuno, de esos hombres "que se levantan a una orden del sol y van a sus campos a proseguir la oscura y silenciosa labor cotidiana".

No siempre era posible, sin embargo, y, a menudo, me debía contentar con migajas. Algunos días, al salir a estirar las piernas antes de empezar mi trabajo, descubría, acongojado, que nadie comprendía mi francés. Era un índice más de mi asfixia y me sentía incapaz de reaccionar. Me acordaba, entonces, del acento feroz de tantos y tantos proscritos —tanto más feroz cuanto su emigración databa de mayor número de años— y concluía que, desvinculados del país, los españoles nos endurecíamos hasta la caricatura, y este endurecimiento era fruto de nuestro miedo instintivo a disolvernos en la nada. Había que resistir a un asedio en regla —horas, días, meses, años— y, a pesar de ello, los andenes de las estaciones estaban llenos, y los dormitorios colectivos, y las colas silenciosas de hombres y mujeres ante las ventanillas de las oficinas de trabajo.

Lo había recorrido todo: la Gare d'Austerlitz, a la llegada del expreso de Port-Bou, cuando docenas de hombrecillos de facciones terrosas acechan con ojos de ahogado la presencia de alguna silueta amiga entre la multitud indiferente; los alrededores del Metro Pompe, en una tarde de domingo, con sus corrillos de mujeres vestidas de negro, y uno desemboca desde los arriates bien cuidados del Bois de Boulogne a una plaza de pueblo de Valencia... En Francia, en Bélgica, en Suiza, en Alemania, a la ventura de mis peregrinaciones, había topado con hombres y mujeres parecidos —chicas de servicio, albañiles, mineros, agricultores— y junto a un mostrador de cinc o en torno a una mesilla triste, nos habíamos detenido a echar un párrafo. Todos habían ido fuera a trabajar; ninguno se acomodaba a la idea de vivir lejos de España. Y nuestra conversa era la misma siempre y, después de soñar y maldecir, cada cual se recogía insastifecho, con su deseo de regresar intacto.

Así trabé amistades efímeras y perfectamente sustituibles con compatriotas amargos que me hablaban de Villalba y Huéscar, Ocaña y Sanlúcar; amistades fraguadas al calor del vino (o de una cerveza siniestra) y cada vez, había allí una mujer dando su pecho al hijo, o una abuela de piel arrugada como el hollejo de una fruta, o un hombre envejecido antes de hora que, tras haber defendido inútilmente su pan y su familia, había luchado aún fuera *sólo por la esperanza* y la esperanza le había burlado.

En una de esas veladas —recuerdo que era un día sucio y la lluvia humedecía imperceptiblemente la calle—, la charla recayó en Almería y, durante largo rato, el compañero y yo hablamos de su tierra y sus hombres, encarados sobre un mantel de hule, en una mesa cubierta de botellas de vino, embuchados, tomates y pimientos. El almeriense no había vuelto allí desde el final de la guerra. Mirando con atención, se adivinaba que cada arruga de su rostro obedecía a una espera impaciente, sin cesar contrariada. El cansancio lo había marcado poco a poco, pero los ojos conservaban entero su brillo. No se me despinta de la memoria su frente seca, el tacto amistoso, velludo, de su mano. El bar tenía luces de neón y un espejo empañado con una etiqueta de *Suze*. Después de la primera botella, Vitorino y yo nos sentíamos abrigados y solos, como en lo hondo de una catacumba.

Vitorino había hablado en su tiempo de hambre, de iniquidad y de miseria —de la triple cosecha de muerte que medra en la tierra de Almería. Él fue de los que empuñaron el fusil y combatieron porque la injusticia acabase. Pero habían transcurrido veinte años y, ahora, ya no hablaba. Quería saber —solo— si florecían los naranjos en Benahadux y granaba la uva en Canjáyar, si el sol brillaba siempre con fuerza —repuse que sí y me miró con los ojos húmedos. Y, hermanados en el vino y el recuerdo, evocamos las parameras y canchales de Tabernas, los alberos de Gérgal, Uleila y su interminable extensión de tierra campa.

—Tengo familia allá —me dijo—. Un primo más joven que yo, pescador él, que le dicen el Cartagenero. Si pasa usté por La Chanca, váyale a ver de mi parte. Hace años mi mujer recibió unas letras suyas. Le contestamos, pero desde entonces no ha vuelto a resollar. Yo no lo he visto desde que tuve que irme afuera...

Le prometí hacerlo así y, la mañana siguiente —de nuevo era un día gris y los diarios seguían callados—, mientras revolvía en los bolsillos del pantalón, encontré una tarjeta del hombre, "Vitorino Roa Cabrera", y una dirección escrita con letra torpe, vacilante: "Antonio Roa, el Cartagenero, La Chanca." La cabeza me pesaba aún del vino ingerido la víspera y guardé la tarjeta en un cajón de mi escritorio, entre las resmillas y los sobres.

Se sucedieron varios meses de lluvia y silencio de los diarios, y un buen día en que ni la portera, ni el mozo del bar, ni la mujer del quiosco lograban entender mi francés, pensé en Almería y me descubrí hablando solo en medio la calle. Como mi compañero —en un plazo mucho menor que mi compañero—, había olvidado el hambre, la iniquidad y la miseria y revivía únicamente el sol, el paisaje desnudo, el reverbero de la luz en las casas. Era una impresión más fuerte que yo; no la podía resistir. Apresuradamente, hice la maleta y me fui sin prevenir a mis amigos. Almería era ya un vicio conocido. Luego me acordé de la tarjeta del compañero y, antes de partir, la metí, con mi libreta de direcciones, en el bolsillo superior de la americana.

2

CUANDO llegué a Almería habían transcurrido solamente setenta y dos horas. El día anterior, en Valencia, el cielo amaneció encapotado y, mientras el tren corría sin prisa la ruta de Almansa, hubo un amago de cernidillo. Era un recibimiento triste para mí, pero calculaba mentalmente los kilómetros que me separaban de Almería y el corazón aleteaba con fuerza a la idea de que aquella noche podría acostarme en paz. Había dejado atrás los paisajes grises del Norte y la excitación del Sur me mantenía aferrado a la ventanilla. No sé cuantas horas pudo durar el viaje. Tras el palmar de Elche, una banda de nubes ensombrecía el horizonte y los pájaros volaban a ras de suelo. Por fortuna, en el momento en que comenzaba a desalentarme, el tiempo se desnubló y, al acercarme a Murcia, sobre el amarillo y rojo de trigales y ñoras, el sol lucía magnífico.

La ciudad andaba ajetreada como de costumbre, y, junto a la parada de los autobuses, tomé un pescado desaborido, un Jumilla de buena boca y un café de recuelo. Luego el coche de línea partió repleto hasta los topes, a través de una geografía que conocía bien —por Alcantarilla, Totana, Lorca y Puerto Lumbreras. En la nava, el ocre casaba con el verde de los campos y, más al Sur, la luz teñía de rojo la ceja de nubes de la sierra. La carretera cortaba el paisaje, recta como un cuchillo. Entre las palmeras y pinos de la orilla, los viajeros contemplábamos las tablas de hortaliza y los cortijos asentados en la sillada del monte, rectangulares y blancos, en medio de alguna mata de almendros. Faltaba casi un mes para la siega y las sementeras de los tempranales empezaban a campear. Una hora después, al trasponerse el sol, en el llano había infinita calma. Cordilleras y gajos se dibujaban a contraluz y el cielo palidecía, liso como una hoja. El crepúsculo nos escoltó aún hasta Los Gallardos. Cuando la oscuridad fue completa, me dormí. En el duermevela oía el parloteo monótono de los pasajeros y, a cada alto del coche, una mujer enlutada o un campesino cargado de cestas y paquetes subía o bajaba acompañado de la efusión ruidosa de los suyos y, por unos instantes, me sacudía de la modorra. El acento entrañable de los almerienses acunaba como una nana. Hacía meses que no oía la risa fresca de las muchachas ni el vocejón gutural de los hombres, que tanto recuerda al árabe. El autobús faldeaba los montes lunares de Tabernas y éramos los únicos seres vivos en muchas leguas a la redonda. De trecho en trecho, algún viajero se apeaba junto a una venta y, confusamente, entreveíamos siluetas de niños y mujeres, iluminados apenas por la luz de los candiles.

Me dormí de nuevo y, al despertar, estaba ya en Almería. Por la calle corría un viento cálido. Cogí un coche de punto y dí la dirección del hotel. No era todavía medianoche, pero la ciudad parecía desierta —el chacoloteo de las herraduras sonaba rítmicamente sobre el asfalto. El cochero me ayudó a descargar la maleta y el mozo de equipajes me guió a la habitación. Tal como había pedido, caía al Paseo —las ramas de los ficus rozaban el vuelo del balconaje. Por primera vez en largo tiempo dormí a pierna tendida. De amanecida me levanté a emparejar las hojas de la ventana, y en seguida me volví a acostar. Cuando desperté, el reloj de la catedral daba las nueve.

Era un día de los que a mí me gustan —azul, luminoso y seco— y, después de lavarme y afeitarme, bajé a tomar el café. Almería no había cambiado y me sentía como en familia. Las terrazas del Paseo estaban llenas de ociosos y los guardias de tráfico regulaban la circulación vestidos de dril y tocados con cascos coloniales. La multitud fluía por las aceras en grupos compactos: hombres cenceños y oscuros, con sombrero calañés y chaleco; mujeres casadas, enlazadas al brazo de alguna amiga; militares, chalanes, loteros, limpiabotas. La clientela de los bares era exclusivamente masculina. Tras recorrer varios, me decidí por uno pequeño y bebí un exprés en la barra. En el quiosco de Puerta Purchena un vendedor voceaba *Yugo*. Le di los seis reales al salir y, sin hojearlo, torcí por Obispo Orbera, hacia la báscula del Ayuntamiento.

Junto a la esquina, media docena de coches de punto aguardaban cliente sin desanimarse. La feria se extiende en redor del mercado y, al cabo de cada ausencia, el decorado que uno encuentra es aproximadamente el mismo. Entre los tenduchos de tejidos y loza, los charlatanes pregonaban un variado surtido de mercancías: ferrería de Chamberga, cañaduz, higos chumbos, quincalla, tebeos, hierbas medicinales. Los regatones se avistan en corrillos, discutiendo precios, y, de vez en cuando, hay un anillo de zánganos en torno a algún embaidor que se esfuerza en embocar, con gran derroche de labia, las excelencias de su artículo.

Bajo la solina, el mercado bulle igual que un zoco. La belleza ruda de la gitanería que feria se baraja con el desamparo e invalidez de una vocinglera Corte de los Milagros. El tracoma ha devorado los ojos de los loteros que prometen "la suerte para hoy", agitando sus párpados, diminutos como cicatrices. Cada número tiene un apodo, que los ciegos salmodian en forma de letanía.

—¡El tomate!

¡El gato!

¡El ratón!...

—¡El pimiento!

¡La calabaza!

¡La muerte!...

Acompañado por la cantinela de los ciegos doy la vuelta al mercado. En la báscula, un grupo de hombres espera alguna chapuza, pegando tranquilamente la hebra. La mayoría visten de modo miserable, con los fondillos de los pantalones rotos y las camisas plagadas de remiendos. Subido en la caja de un camión, en el cruce de la calle Juan Lirola, un individuo arenga al público con la ayuda de un micrófono, y me aproximo a oír. El vendedor es tipo sanguíneo, de pelo engominado, que habla con acento madrileño, protesta y gesticula:

—A mí no me importa la venta, señoras y señores, lo que me interesa, y vaya ello como una confesión que su natural inteligencia no dejará de comprender, lo que me interesa, decía, es la popularidá...

El ayudante exhibe una manta de algodón malva y rosa, y el hombre la desdobla como si desnudara a una mujer y la larga a la concurrencia:

—Tóquenla sin temor, señoras y señores, que el tejido no se resentirá por su contacto, y su suspicacia, si alguna suspicacia les quedare todavía, desaparecerá inmediatamente. Porque yo quiero que se convenzan de una vez, señoras y señores, de que la firma Ángel Tomás Hijo es una firma de garantía, que sólo atiende a la irradiación de su prestigio comercial y personal... Mi señor padre recorre esta provincia desde hace dos meses y, no es por decirlo, señoras y señores, pero se cansa de vender. Él quería que yo le acompañase a plebiscitar la mercancía. Mi señor padre es de edad avanzada y, aunque no le falta salú, gracias a Dios, no puede dar abasto a todas las demandas. Pero yo he preferido venir aquí, a ponerme al servicio incondicional de ustedes y sé que ustedes me apoyarán... El éxito en la capital repercute en la provincia y, un servidor, lo sacrifica todo al nombre de la entidá... A ustedes les ofrecerán en la vida muchas mantas de buen ver, pero ustedes no morderán el anzuelo que les tienden. Hay comerciantes sin conciencia que quieren encajar sus artículos aunque sean tarados. No esperen jamás eso de mí ni de mi señor padre. Lo que importa en la manta no es el aspecto, señoras y señores. Lo que cuenta, y ahora es el técnico quien les habla, es el casco, el cuenco, la molla y el tejido...

Como el charlatán continuaba soltando la taravilla, me escurrí hasta el bar de la esquina y bebí otra taza de café. Los hombres de la báscula seguían la prédica con indiferencia. En un momento dado hubo dos que corrieron persiguiéndose como chiquillos y, al alcanzarse, forcejeaban y se daban en la cara con la mano. Por la acera pasaron unas monjas con un serón de legumbres. Cuando salí, el embaucador había extendido una nueva prenda y achuchaba:

—Es una manta de sultán. Una manta de novia y novio. Una manta de noche de bodas...

Pero los curiosos no parecían dispuestos a dejarse enlabiar y, llegada la hora de poner los cuartos, comenzaban a dispersarse.

Volví al Paseo, contorneando los puestos del mercado, y me senté en una terraza, junto al hotel. En la mesa vecina, tres hombres vestidos con trajes veraniegos conversaban alrededor de una botella de Moriles. Debían de ser empleados de banca o funcionarios del Estado, pues les lucía bien el pelo. El de mi lado era menor que los otros y hablaba de modo redicho. El del centro vigilaba con el rabillo del ojo el ir y venir de las mujeres. Al tercero le zumbaban ya los cincuenta años. Un limpiabotas trabajaba arrodillado a sus pies, y aparejé el oído.

—A mí me revienta perder el tiempo en floreos. Cuando una chica no quiere se ve en seguida...

—A muchas les agrada hacerse rogar.

—Pues yo te digo que les aproveche. A mi edad, uno no está para zarandajas. Yo no tiro a bulto jamás. Yo voy a tiro hecho.

—Cuando servía en Tenerife, aquello daba gusto. Allí encuentras nenas de dieciocho abriles por doscientas pesetas. Y educadas y finas, no como las de aquí... Había una, de buena familia, que estaba encaprichada con menda lerenda y nos pegábamos cada restregón los dos, que no quieras tú saber...

—Yo en Málaga frecuentaba una casa de menores, algo como para chuparse los dedos... Tú ibas allí, la patrona te enseñaba sus fotos y elegías la que querías. Y como le cayeses bien a la nena no te pedía nada. A veces, algún regalillo, cualquier tontería, unas medias de nailon...

—En Albacete me lié con una que no me dejaba a sol ni a sombra. Dieciséis años tenía el guayabo... Cuando me fui andaba desesperada. La pobre quería venirse conmigo.

—A mí, en Canarias, una me regaló este reló. Una tía de miedo, casada ella, con uno de esos temperamentos que bueno... El marido llevaba más cuernos que un saco de caracoles.

Durante varios minutos les oí discutir con voz ronca. El de en medio pretendía que las solteras se dan con más facilidad que las casadas, mi vecino sostenía que no, y los dos se pusieron a razones. El viejo quiso contar una anécdota y dijo que el problema consistía en tentar bien el vado. Los tres se degollaban el cuento unos a otros y, concluida la enumeración de sus proezas, criticaron a las mujeres de Almería.

—Ninguna vale cosa. Yo, en cuanto tengo permiso, me largo arreando a Málaga.

—Málaga es como Tenerife. Cuando sales con una moza todo es saber los puntos que calza. Las de Almería solo hipan por el dinero.

—Interesadas que son. Que si el portero, que si el del taxi...

—Que un ramito de flores, que si el guitarrista...

—No sé por quién se deben de tomar. La de la otra noche me pedía cuarenta duros.

—Yo le di veinte a la mía, y santas pascuas. Untar el carro es una cosa y que te tomen el pelo otra.

—Haz como yo. Cuando salgo con ellas me las compongo para no llevar encima más que doscientas pesetas.

—Yo también. La última vez me pillaron el día en que cobramos y dije que iba a orinar y me guardé los billetes gordos en el zapato.

—Yo los escondo siempre en el calcetín.

—El dobladillo del pantalón es lo más seguro.

El limpia había acabado la faena y, en tanto que el más viejo sacaba las perras del bolsillo, los otros siguieron hablando de los apartadijos en donde solían ocultar el dinero, se lamentaron de la avidez y fealdad de las de Almería y, tras evocar aún felices encuentros, concluyeron que, para mujeres, no había sitio como Canarias.

Yo hojeaba discretamente las páginas de *Yugo* y, al alzar los ojos, descubrí a una muchacha muy joven, que se había detenido frente a mí con una hucha y se inclinaba sobre mi solapa para prenderme una banderita.

—Para el cáncer —dijo.

Era delgada y guapa y, a contraluz, el sol enrubiaba sus

cabellos.

Riendo, le pregunté cuándo había colecta para combatir el Gran Cáncer.

—¿El Gran Cáncer?

—Sí.

Hubo un punto de silencio. La chica no comprendía.

—¿De qué cáncer habla?

—¿No lo ha visto usted? —dije.

—¿Verlo? ¿Dónde?

—Aquí.

—¿Cuándo?

—Todos los días. Ahora mismo.

—No lo entiendo a usté.

—Reflexione. Mire a su alrededor.

La chica obedeció. Tenía los ojos rasgados, muy grandes, profusamente sombreados de pestañas.

—No caigo —dijo.

—¿No?

—No señor.

—Bueno, igual da. No tiene ninguna importancia. Un día caerá usted y se reirá.

Saqué un duro arrugado del bolsillo y se lo alargué.

—Entre tanto combatamos éste.

La muchacha cogió el billete y se despidió con una sonrisa. El pelo le cubría graciosamente los hombros y, al andar, la falda le ceñía las caderas. Sus piernas eran oscuras, casi oliváceas.

Mis vecinos charlaban todavía de escondrijos y planes, y me incorporé. La atmósfera estancada del Paseo me asfixiaba de pronto. Pregunté al mozo cuánto debía y, mientras el viento sacudía las ramas de los ficus e inventaba sombrajos en la acera, me alejé rápidamente del Gran Cáncer.

3

LA PERSPECTIVA de Almería, vista desde el hacho de la Alcazaba, es una de las más hermosas del mundo. Por tres pesetas, el visitante tiene derecho a recorrer los jardines desiertos, escalonados en terrazas, y puede sentarse a la sombra de un palisandro a contemplar un cielo azul, sin nubes. En el interior del recinto la calma es absoluta. El agua discurre sin ruido por los arcaduces y las abejas zumban, borrachas de sol. Las pencas de los nopales orillan el sendero que conduce a la torre del campanario. Un piquete de obreros retira escombros de una cisterna. El camino zigzaguea entre los chumbares y el forastero se detiene a admirar el mazo florido de una pita. Luego, cambiando de rumbo, prosigue su ascensión por el adarve, hasta la atalaya del torreón.

El barrio de La Chanca se agazapa a sus pies, luminoso y blanco, como una invención de los sentidos. En lo hondo de la hoya las casucas parecen un juego de dados, arrojado allí caprichosamente. La violencia geológica, la desnudez del paisaje son sobrecogedoras. Diminutas, rectangulares, las chozas trepan por la pendiente y se engastan en la geografía quebrada del monte, talladas como carbunclos. Alrededor de La Chanca, los alberos se extienden lo mismo que un mar; las ondulaciones rocosas de la paramera descabezan en los estribos de la sierra de Gádor. El descubrimiento abarca una amplia panorámica y el observador se siente un poco como el Diablo Cojuelo. Los habitantes del suburbio prosiguen su vida aperreada sin preocuparse de si los miran desde arriba. De vez en cuando, un guía pondera las maravillas del lugar y los turistas se asoman por las almenas y lo acribillan con sus cámaras.

La primera vez que estuve allí permanecí varias horas acodado en el parapeto. Recuerdo que la víspera había dormido en Granada y, aquella prodigiosa combinación de cal y luz, tan distinta del paisaje pardo y ocre de los miradores de la Alhambra, me impresionó de modo profundo. Era la misma diferencia que existía entre la belleza hosca de la Alcazaba y la seducción fácil del Generalife —con sus adelfas, cipreses, surtidores y estanques. La mareta sorda de las voces subía como un jadeo animal. Después, al quitarse el sol, los colores se disolvieron en la penumbra. Los gritos de las mujeres y chiquillos se espaciaron y se hicieron más plañideros. El miedo ancestral de la noche se había adueñado del barrio e, instintivamente, la gente buscaba un refugio y se recogía en su guarida.

Aquella mañana, en el torreón, coincidí con un grupo de visitantes. Eran cinco o seis extranjeros —robustos y jóvenes— probablemente embarcados en algún buque de mercancías. El español que les acompañaba resultaba más difícil de identificar. Pequeño, seco, su expresión taimada contrastaba con el rostro plácido y lustroso de los otros. El hombrecillo llevaba los faldones de la camisa fuera y fumaba un cigarro, haciendo vedijas con el humo. Cuando pasó por mi lado le oí chapurrear el extraño inglés de los andaluces del Campo de Gibraltar. A trechos, se veía obligado a recurrir a locuciones castellanas y remataba las frases inconclusas con ademanes y gestos, rápidos y expresivos:

—Espanis dans... Los españoles llevamos la alegría en la sangre...

Y, alargando el brazo peludo, mostraba a los demás las venas de la muñeca por donde corría la alegría.

Yo pensaba otra vez en el Gran Cáncer, en la nueva encarnación del Gran Cáncer, y recordaba las escenas en el puerto de Barcelona la primera vez que apareció, y quería olvidar, y no lo lograba. Llevaba aún el ejemplar de *Yugo* en el bolsillo y, al bajar la cuesta hacia el malecón, leía los titulares. Durante media hora anduve cantoneando por el puerto. Un hormiguillo de estibadores porteaba sacos a la bodega de un buque; sentados en el suelo, los pescadores tintaban y remallaban las redes. En el carenero había media docena de barcas varadas, y me acerqué a ver. Los obreros calafateaban el casco de una traína y, sobre la cubierta de otra, descubrí una parva de niños en cueros. Parecían lombrices oscuras, recién salidas de la tierra, y reían y se mostraban el sexo unos a otros con un candor que desarmaba. A pocos pasos de allí, dos muchachas desvanecidas de su propia belleza jugaban al tenis en la pista del elegante Club de Mar.

Llegado a la desembocadura de la rambla, torcí a la derecha. En el zoco de Plaza Pavía los chiquillos estaban al husmo y, a la menor distracción de los vendedores, agarraban alguna fruta, un corrusco de pan o un puñado de lentejas y lo zambucaban con rapidez en sus bolsillos. El recuerdo del Gran Cáncer me asombraba el ánimo y entré a beber en un bar.

Era un establecimiento oscuro, con toneles de vino, un mosquero colgado del techo y paredes cubiertas de calendarios. En las mesas había varios corrillos de hombres jugando a cartas. El patrón tenía una cuarentena de años y llevaba un delantal sujeto a la cintura. Calvo, de cejas pobladas, sus ojos parecían dos agujeros negros. Instalado tras la barra, con los brazos cruzados, observaba el sol de la calle con expresión indefinible.

—¿Qué ha de ser?

—Un tinto.

Enfrente de él, un hombrecillo orejudo leía el mismo periódico que yo y chascaba la lengua y movía la cabeza, como dando a entender que la significación del texto le escapaba. A intervalos se paraba buscando inúltimente la mirada del dueño pero, al cabo, desistía y se aplicaba de nuevo a la lectura con renovado estupor.

—Naranjas exportadas —dijo.

Se volvió hacia mí y, al ver la cajetilla de *Gitanes,* me examinó de cabeza a pies y se pasó la mano por los labios.

—Caray —hablaba dirigiéndose al patrón—. ¿Cuánto tiempo hace que no has rascao uno de esos?

El dueño descruzó lo brazos y se inclinó a mirar la cajetilla. Luego posó los ojos en mí.

—Lo mismo que tú —dijo.

A su cara había aflorado una sonrisa y alargó la mano.

—¿Me permite? —murmuró.

—No faltaba más.

El patrón sostenía la cajetilla como un objeto frágil, o infinitamente precioso, acariciando el cartón con los dedos.

—¿Te acuerdas?

—Cómo no me voy a acordá... La de noches que nos hemos tirao tú y yo al raso, con uno de esos jodíos paqueticos...

—El último me lo fumé en la estación de Barcelona.

—Yo me traje un cartón al volvé. Se lo di a mi sobrino, el de la Encarna... Si lo llego a sabé me hubiera quedao con uno de recuerdo...

El patrón hizo ademán de devolverme la cajetilla y dije que podía quedársela.

—Tengo otras —añadí.

—Hombre, no le diré que no —había sacado una mecha del bolsillo y, después de ofrecer la cajetilla al compañero, encendió un *Gitane* y aspiró el humo con regosto—. Si no es indiscreción, ¿dónde lo ha encontrao usté?

—Lo he traído de Francia.

—Ah, viene usté de allá —ahora, el patrón miraba el resol de la calle—. ¿Y cómo van las cosas por la Francia?

Yo le repuse que poco más o menos como allí. Tan solo que la gente ganaba más.

—Sí —aprobó el patrón—. Ya me lo han contao los amigos.

El hombrecillo terció para decir que yo hablaba así porque vivía fuera.

—Si fuese escuchao a mi hermano, a estas horas estaría en Tulús trabajando en algún garaje. Aún no entiendo por qué colgué el empleo y me volví.

—Porque la tierra te tiraba como a tos —dijo el patrón—. Los hombres como tú y yo no podemos acostumbrarnos.

—¿Y al hambre? ¿Te has acostumbrao tú al hambre? ¿Y a pedí fiao en las tiendas la mitá de las semanas? ¿Y a pagá cuarenta duros de alquilé por una chabola en donde no vivieran ni las ratas?

—No me entiendes —repuso el patrón—. Te decía que, largándose afuera, las cosas no se arreglarán ni puén arreglarse. Al contrario, empeorarán de día en día.

Algunos jugadores de las mesas se habían aproximado a nosotros y, al oír la conversación, se detenían y escuchaban, sin decidirse a meter baza. Eran mecánicos o pescadores, vecinos del barrio, pues conocían al patrón y le aprobaban en silencio. El más joven —un muchacho rubio, de facciones rebultadas— acechaba el movimiento de sus labios y, por su expresión, barrunté que era sordomudo. Uno de los amigos le explicó algo con una serie de ademanes veloces. Muy excitado, el mudo le contestó de igual manera. El patrón decía que la solución de los problemas dependía de la acción coordinada de todos, y sus compañeros se animaron al fin y echaron su cuarto a espadas.

—Es que lo traen a uno como un zarandillo... Te dicen blanco, y tú blanco... Negro, y tú negro... Y nadie bulle ni pie ni mano.

—¿Qué quiés hacé? ¿Pedí las pajaricas del aire?

—No sé. Algo.

—Los pobres tenemos el santo de espaldas.

—Si hubiera unidá...

—Y dale con el maldito hubiera.

—La culpa no es de nosotros.

—La culpa es de tos... Ca uno tira por su lao y asín andamos, como vacas sin cencerro.

Los dos hombres se trabaron de palabras, maldiciendo su suerte y el dueño me sirvió un caldo de Albuñol. Era un clarete de una hoja, de asperillo delicioso, que se bebía sin darse uno cuenta.

—Aquí no hay que embocarlos ni encabezarlos, como en otros puestos —dijo.

Yo lo paladeaba lentamente y le pedí otro. En la taberna había irrumpido un grupo de cantores y la conversación desmedraba. El patrón quiso saber de dónde era y en qué lugar vivía y, mientras sus amigos me rodeaban en silencio, le contesté lo mejor que pude y él habló de Argelés y Saint-Cyprien, Chinchilla y Ocaña.

—Cuando los alemanes, anduve en el maquí. En mi patrulla había tres tipos de Albox. Gente estupenda. A uno, le afusilaron en Grenoble.

Los recién llegados palmeaban sin darse punto de reposo y me despedí de los compañeros. Fuera, el sol llameaba como un chivo. La luz reverberaba en los muros de las casas y la resolana hacía daño a los ojos. El paisaje entero parecía un horno de cal.

Por unos momentos vagué sin saber a dónde me llevaban los pasos. La letanía desamparada de los hombres resonaba como un martinete en mi cerebro. Luego me acordé del recado de Vitorino y eché a andar por la costanilla, camino de La Chanca.

4

La rambla de La Chanca atraviesa el Paseo del Malecón y va a morir en el puerto, junto a los jardines del Club de Mar. Desde abajo, las casas situadas en primer término ocultan púdicamente a los turistas que se dirigen por carretera a la costa de Málaga la existencia de un barrio insólito —omitido por agencias y guías—, en donde viven hacinadas a vuelta de veinte mil personas. El decorado comprende una taberna —La Alegría del Puerto—, una Caja de Ahorros —así reza la inscripción de la fachada— y una escalera monumental de descarga frente al muelle —con una lápida que celebra algún aniversario memorable. Por regla general, los automovilistas prosiguen su camino sin pararse a indagar lo que hay detrás.

El curioso puede aventurarse, sin embargo, rambla arriba y el espectáculo que se ofrece a sus ojos corre el riesgo de no olvidarlo en largo tiempo. Una frontera invisible separa el barrio del resto de la ciudad y a uno le gana la impresión de violar algo —como de irrumpir en terreno prohibido. La Chanca es un universo aparte en el que el visitante se siente un extranjero. ¿Qué tienen en común él y los grupos de mujeres, viejos y chiquillos que hozan y merodean por los escombros? Vestido, calzado, defendiéndose de la acometida del sol con unas gafas ahumadas, ¿qué clase de vínculo existe entre él y ellos?

Esas y otras preguntas me formulaba yo a mis solas y, por mucho que estrujara el cerebro, no conseguía darles respuesta. El malestar que experimentaba resistía a todos los razonamientos. Era una mezcla de desazón e inquietud —como la conciencia de estar allí de más— y, mientras me acercaba al bloque de Viviendas Protegidas —en una o dos ocasiones—, estuve a punto de volver sobre mis pasos.

No me decidí y, por el contrario, me detuve a contemplar los esparteros que trabajaban en el lecho de la rambla. Varios hombres con sombreros de paja vigilaban la hilada de las púas y un niño de ocho o diez años hacía girar la rueda. La hebra se peinaba en los rastrillos como un tendido de cables eléctricos, Junto al muro, una mujer preparaba el esparto ya enriado y, de vez en cuando, tendía una maña al hilador del torno.

La mole imponente de la Alcazaba cierra el paisaje a la derecha y continué cuesta arriba por un camino de mal huello. En dirección contraria a la mía venían varias mujeres con cazos humeantes. A causa del sol, se protegían la cabeza con mantellinas y pañuelos y avanzaban en hilera igual que autómatas, sin despegar jamás los labios.

Los borricos senderaban la pendiente y repeché tras ellos, hacia un grupo de chozas blancas. La gente arrojaba allí las basuras y la torrentera se había convertido en un albañal. El aire hedía de modo inaguantable. Yo andaba a paso tirado y, al llegar a la barriada, emparejé una chiquilla que llevaba una cántara encima del cabecil. A la sombra del muro, un hombre extendía una camada de huevos sobre un zarzo y me aproximé a él.

—Usted perdone... ¿Conoce usted por casualidad a uno que llaman Antonio Roa, el Cartagenero?

—¿Cómo dice usté?

—Antonio Roa, el Cartagenero... Creo que trabaja en el mar.

—¿En qué calle vive?

—No lo sé. Traigo un recado para él. Me dijeron que paraba en La Chanca.

—Por ahí sé de un cartagenero, pero no es pescaó —dice el hombre incorporándose—. El que mienta usté, ¿es casao?

—Me parece que sí.

—Entonces no debe de se él... Éste es mozo aún. Pero quizá que él puea informarle.

—¿Dónde vive?

—¿Ve usté aquella zahurda?

—Sí.

—Pues tuerza usté a la izquierda y eche por una calle que le dicen San Joaquín. Siempre pa'lante.

—Sí señor.

—Allí pregunte usté por el Galera. Tos le conocen por este nombre. A esta hora, seguramente le encontrará.

—Muchas gracias.

—De na... Vaya usté con Dios.

El recovero se lleva la mano al sombrero para despedirse y, de nuevo, se acuclilla junto al zarzo. El camino que me indica está cubierto de basura. Las moscas bullen en el suelo por millares. Mi paso las asusta y parece que la tierra haga ademán de concomerse y quiera sacudírselas de encima. El tarquín húmedo de la loma es como un inmenso ijar de asno.

Arriba, el sol hace escardillo en un espejo, y tiro por el primer callejón. Las mujeres tienden la colada en medio de la calle. Hay sábanas tazadas, camisolas de niño, miserables pantalones de trabajo llenos de remiendos. Le lejía se escurre por el arroyo entre raspas de pescado y mondas de fruta. Es preciso agacharse a cada paso y la gente que habla en el tranco de las casas enmudece y me mira.

A través de ventanas y puertas se columbra el interior de

las chozas. Las paredes están cuidadosamente encaladas. Veo mesitas con floreros, aparadores, calendarios de propaganda, fotografías. Una muchacha se afana, inclinada sobre una máquina de coser. En la esquina hay dos viejos sentados a la sombra. Los dos apoyan la barbilla en el puño del bastón y permanecen inmóviles, lo mismo que estatuas.

Cuando llego a San Joaquín una caterva de niños rodea el carrito de un vendedor ambulante que lleva la inscripción: "Helados La Violeta". Los chiquillos tienden sus manitas sucias al heladero, y los afortunados poseedores de una rubia o una pieza de dos reales se alejan de la arrebatiña sorbiendo el copete de mantecado que sobresale del cucurucho de barquillo. Más lejos, hay dos mujeres de palique y les pregunto las señas del Galera.

—Un chico de Cartagena, soltero él... Creo que vive por aquí.

El sudor me orilla la frente y lo enjugo con el pañuelo. Las mujeres intercambian una mirada.

—¿Sabes tú quién es?

—Debe de ser el hijo de la Damiana, el que anda cojo...

—No, mujé. Éste no es. A éste le conozco yo.

—Su familia, ¿no viene de Cartagena?

—No. El Andrés ha nacío aquí. Por Canjáyar.

—¿Y dice usté que vive en esta calle?

—Sí señora.

—Entonces ha de ser el hijo de la Chata, el electricista.

—¿Son cartageneros? —pregunta su amiga.

—Eso no lo sé de fijo... Pero, si el señor dice que es soltero, otro no hay.

Las dos mujeres discuten durante unos momentos. La más joven lleva una blusa de hilo muy ceñida y, al hablar, se alisa mecánicamente la falda.

—Usté nos perdonará —murmura—. Pero hace poco que vivimos en el barrio y, hay tanto personá que, al fin, una se confunde.

Su amiga me señala con el dedo el domicilio de la Chata.

—¿Ve usté una casica pintá de rosa?

—Sí señora.

—Aquélla es.

Yo doy las gracias a las mujeres y me encamino hacia allí. Por la calle corre un niño arrastrando una cometa de fabricación casera: un hexágono de papel tirado por un hilo. Detrás de él, otro arrapiezo ametralla a los transeúntes con una tosca escopeta de caña. La puerta de la Chata está entreabierta y me detengo en el umbral.

—¡Oiga! —grito—. ¿Hay alguien?

La habitación es cuadrada, baja de techo. Dentro, veo tres sillas, una mesa, un taburete, una cómoda. De las paredes cuelgan horcas de ajo y racimos de uva.

—¿Quién es?

La voz viene del otro lado de una cortina y oigo un rumor de pisadas. Al fin, la Chata se enmarca en el vano de la puerta y me observa a contraluz, parpadeando.

—¿Qué desea?

Es una mujer baja, de constitución hombruna, con el pelo recogido en rodetes, cejas espesas y boca regañada.

—¿Vive aquí un muchacho de Cartagena que le dicen el Galera?

La Chata me analiza de hito en hito y el examen no debe de satisfacerla pues, bruscamente, el rostro se le enfosca.

—¿Pa qué le quié ve usté?

—Soy amigo de un cartagenero que vive en La Chanca y, como no sé su dirección, preguntaba por él y alguien me dio las señas de su hijo, pensando que tal vez supiera dónde paraba...

—Lo siento —corta la Chata—. Mi hijo ha salío.

—¿Y usted? ¿No conoce ningún cartagenero que se llame Antonio Roa?

—No señó. No conozco a nadie.

La mujer me mira secamente dando por terminada la conversación, pero, en el instante en que voy a quitarme de allí, alguien la llama desde dentro.

—Madre... ¿Quién hay?

Es una voz de hombre, un poco ronca y la Chata hace como si no la oyese.

—Pregunte usté en el colmao —dice.

No tengo tiempo de obedecerla, cuando una mano descorre la cortina y un mozo rubio asoma la cabeza y nos observa.

—¿Qué pasa?

—Na. Ese señó buscaba un cartagenero que vive por el barrio. ¿Conoces tú alguno?

—¿Cómo dice usté que se llama?

—Antonio Roa. Es pescador.

—Roa, Roa... No caigo... ¿Le han dicho que vive por aquí?

—No tengo su dirección. Sólo sé que está en La Chanca.

—Pues por ahí, desde luego, no, o yo lo conociera. Los de la mar suelen viví al otro lao.

—¿Por dónde?

—Si se espera usté un momento le acompañaré. Precisamente debo devolvé algo a un compañero...

El Galera viste un grasiento mono azul y, en tanto que la Chata desaparece refunfuñando tras la cortina, abre el cajón superior de la cómoda y revuelve en un pote de latón hasta dar con un destornillador y unos alicates. Luego saca una funda de cuero del bolsillo y se peina rápidamente ante el espejo.

—Bueno —dice—. Cuando usté quiera.

El muchacho grita adiós a su madre y, por espacio de unos segundos, caminamos sin decir nada. Es un poco más pequeño que yo y anda algo encorvado, con la vista clavada en tierra. Al ofrecerle tabaco me agradece con un murmullo. De nuevo se registra los bolsillos y me da lumbre, ahuecando las manos en torno a la llama del mechero.

—Por esta zona, el único de Cartagena soy yo. Pero más allá de la rambla seguro que encontrará usté otros. Allí tos viven de la mar.

El Galera me guía, atajando hacia el arroyo. Un crío correteа desnudo por el muladar, con el vientre hinchado y el cráneo negro de moscas. Los cerdos gruñen en el interior de las cochiqueras. Por el camino vienen mujeres y niñas con jarras y botellas de leche. La pendiente es muy pina y hay que caminar haciendo equilibrios para no resbalar.

La aguacha huele a excremento y lejía y, mientras cruzamos el torrente, mi acompañante explica que, cuando baja la arroyada, enlama viviendas y calles y todo lo lleva a barrisco.

—La última vez, arrastró una recua de mulas hasta el Clú de Mar. El amo las había dejao en la rambla pá ir a cañeá con los amigos y dicen que se ahorcó de desesperao que estaba.

El Galera habla con voz monótona, como cumpliendo un deber penoso y en seguida se interrumpe. A medida que avanzamos el número de mujeres y chiquillas que van y vienen con la leche es cada vez mayor y, junto a los muros de Caritas, veo una cola bastante larga. Las que aguardan llevan un cupón en la mano y el Galera me informa que es para presentarse al control. Cada familia recibe una ración de leche que se fija teniendo en cuenta el salario de quienes trabajan y el número de bocas.

—¿Y la leche? —digo—. ¿Quién la reparte?

—Los americanos —contesta—. La traen de Estaos Uníos.

El muchacho rehúye mi mirada, y ya no le pregunto más. Delante de nosotros una vieja camina a paso de tortuga. Debe de tener ochenta y cinco o noventa años, y anda doblada sobre sí misma, apoyándose en un bastón. Cuando la alcanzamos, observo que lleva una lata redonda con un número escrito en letras negras. La lata contiene unos dedos de leche hervida.

—Bueno. Ya hemos llegao —dice mi acompañante—. Pue usté preguntá en cualquiera de esas casas y, si no lo conocen, continúe hacia el Covarrón o Barranco Viejo. Yo tiro hacia el otro lao.

El Galera parece contento de despedirse de mí y se aleja por el sendero a trancadas. Al quedarme solo, me detengo a secar el sudor. El sol ha alcanzado el cenit y la calina embruma el paisaje. A mi lado, un perro se mosquea con la cola. La vieja camina pasito a pasito hacia el monte y me aproximo a un corrillo de mujeres.

—Ustedes perdonen.

Todas se vuelven a mirarme, sorprendidas y, en sus rostros, se pinta la desconfianza. Al preguntarles por el Cartagenero se consultan unas a otras con la vista antes de responder. La que lo hace al fin ha sido bonita cuando joven. Ahora tiene las mejillas sumidas, pero los ojos encandilan todavía en medio de su rostro demacrado.

—Por aquí, no señó. Mi marío es pescaó también, y no lo tengo oío.

—El cuñao de la Aurora es de Cartagena —dice una

amiga.

—Éste ya no anda aquí, mujé —le corta otra—. Está haciendo la mili en Cataluña.

Mientras las mujeres repasan la lista de sus conocidos, los chavales se acercan a curiosear. Algunos van con el culo al aire y me piden cigarrillos.

—¡Uf! ¡Qué pesaos! —grita la que habló primero—. ¿Queréis dejarnos en pá?

Sus amigas hablan de un viajante de comercio, un tal Felipe que va y viene de Cartagena y, como la conversación se ramifica y amaga empantanarse, me despido de ellas y les agradezco sus informes.

Cuando doblo la esquina uno de los chavales que pedía cigarrillos me reconoce y viene detrás. Es un chiquillo marrajo, negro como el carbón, que evoluciona y brinca a mi alrededor con la boca llena de risa. Como algunos limpiabotas del Sur, su táctica consiste en apurar la paciencia de la víctima elegida como blanco. Aunque le opongo la callada por respuesta no se desanima y tiende una y otra vez la manita, abierta como una estrella de mar.

—Dame un duro, inglés.

Para librarme de él no tengo otro remedio que ceder y se escabulle en seguida sin decir gracias. Lo mismo que en los suburbios de Barcelona, los niños de aquí se malician muy pronto. A los diez años corren ya como los mayores y, según me dicen, un gran porcentaje de ellos acaba por dar con los huesos en el Reformatorio Provincial.

Huyendo de un nuevo asalto tuerzo por el primer callejón y corto a la derecha. Sin darme cuenta, he dado la vuelta a la manzana y me encuentro exactamente en el mismo punto de donde había partido. Las mujeres no están ya, pero el perro se mosquea aún con la cola.

Antes de continuar la busca alzo los ojos y miro a la vieja de la lata mientras se enrisca por la ladera. Hace más de diez minutos que camina y, como si el tiempo hubiese dejado de correr de repente, descubro que su silueta encorvada apenas ha avanzado unos centímetros.

Obstinado, rijoso, ensoberbecido como un as de oros de los naipes, el sol reverbera y enrubia, dueño y señor de La Chanca.

5

ECHANDO calle abajo por Cañadas, el forastero desemboca en una avenida amplia y la vista se despeja. Las chozas faldean la pendiente, escalonándose tal un colmenar inmenso y, más arriba, las cuevas bostezan con las fauces abiertas, como bocas oscuras, profundas y desdentadas. La luz resalta de modo brutal los efectos de la erosión en el tajo. El paisaje se ofrece a los ojos descarnado y ocre, sin un chispo de vegetación. La paramera cae en cantil sobre las chabolas y, a trechos, la escarpa es casi vertical y amenaza al barrio entero con los peñascos y galgas que periódicamente se desprenden, sembrando la muerte en el camino.

Los esparteros trabajan allí también y, en primer término, hay un quiosco de obra que anuncia: "Refrescos y limón granizado."

Tres hombres charlan acodados en el mostrador. A pocos metros a la izquierda, un gitano empuja un rudimentario tiovivo. Su clientela se reduce a dos niñas vestidas con delantalitos blancos que dan vueltas y vueltas, solemnes y felices. Una banda de arrapiezos ronda alrededor de ellas y las contempla con manifiesta envidia. En el cauce del arroyo, el dueño de un carromato distribuye garrafas de agua de Araoz.

La cuesta es suave y continúo el camino hacia la colina. Como en todos los pueblos de Almería, docenas de hombres jóvenes hacen el arrimón en la calle. La barbería está de bote en bote y un mozallón aguarda turno a la fresca. Más lejos, el municipio ha construido unos retretes públicos para el vecindario que parecen muy concurridos. El aire apesta de nuevo y el mosconeo es insoportable. Luego, la avenida se bifurca en dos senderos y me detengo a preguntar en un chiringuito de bebidas.

—Un tinto, por favor.

El dueño me sirve un vinazo espeso y, cuando le hablo, enciende la colilla que lleva en la comisura de los labios.

—¿Cartagenero? —dice—. Pues, no, no conozco a naide. ¿Es alguno de su familia?

—No; no me toca nada.

—¿Amigo, quizá?

—Eso, amigo.

El patrón parece hombre de muchas escamas y me observa con el rabillo del ojo.

—Eso es como buscá una aguja en un pajá... ¿Ha io usté al barrio de los pescaores?

—Todavía no.

—Pruebe usté allí. Seguramente le informarán como desea. De otro mo se dará usté una panzá de caminá pa na.

—Muchas gracias.

—No hace ni una semana vino otro a preguntá también por él —añade bajando la voz.

—¿Otro?

—Otro señó como usté.

El dueño revuelve el cajón en busca de cambio y, como parece cerrarse a la banda, prefiero no insistir.

Por el sendero viene una gitanilla con los labios pintados de rojo y un collarín de lágrimas de vidrio. Debe de tener apenas diez años y camina vestida con un traje que le cae escurrido y grande, contoneándose a causa de los zapatos de tacón. El relumbre de su atavío contrasta con su cuerpo flaco, sus manos infantiles y mugrientas. Cuando nos cruzamos observo que lleva una jarra vacía y el cupón para retirar la leche de los americanos.

A medida que se altea hacia el páramo, los canales en ruina de una vieja fundición se perfilan con claridad. Las lumbreras de las cuevas horadan el tajo como ojuelos legañosos. Los vecinos tienden la colada sobre las rocas, y camisas y trapos blanquean la ladera de la montaña. A la izquierda, las mujeres alborotan en el lavadero. En la fachada de una casuca alguien ha escrito en letras grandes "Se bende" con pintura de alquitrán.

Sorteando un badén abierto por la lluvia se llega a un barrio más tranquilo que los otros, de calles rectas y chozas mayores y más limpias. De tanto en tanto, el forastero encuentra unos rótulos:

MINISTERIO DE EDUCACIÓN
COMISARÍA DE EXTENSIÓN CULTURAL
PLAN SOCIAL DE LA CHANCA (ZONA I)

clavados en los muros. En la puerta de las casas veo cortinas fabricadas con redes, nasas de mimbre y panojas de pescado. Una mujer esportea varios hacecillos de hornija y, cuando me aboco con ella y le hago la misma pregunta que a los demás, me mira con malos ojos y se escabulle mascujando excusas.

No tengo otro remedio que continuar y, aunque todavía interrogo a algunos vecinos, nadie acierta a informarme respecto al Cartagenero. Durante un cuarto de hora zigzagueo por calles de nombre extraño: Botillón, Buzo, Jábega, Brújula. Una niña desnuda pasea envuelta en un trozo de red de pescar, zaparrastrándolo por el suelo como el velo de una recién casada. Las viejas pasan uvas al sol y una mujer cucharetea en un lebrillo de gazpacho. El lugar es un auténtico chicharrero. A la sombra hay una pareja sentada por tierra, con un anciano de setenta y tantos años y un cuévano que sirve de cuna a un crío.

—Buenos días.

—Buenos días.

La pareja y el viejo me examinan sin decir nada. Los dos hombres llevan camisas y pantalones raídos y el joven se acaricia con la mano la pelambrera del pecho. La mujer viste de trapillo, con una bata casera de lunares. Es guapa, de piel oscura y labios carnosos y da la impresión de venir directamente de la peluquería. Mi mirada se detiene unos instantes en la línea de sus muslos. En la cuna, el niño duerme a sueño suelto.

Yo repito la pregunta, sin grandes esperanzas ya, y el joven se echa atrás la gorra y me contempla con expresión indefinida.

—¿Antonio Roa dice usté?

—Sí señora.

—¿Uno que pescaba a la marrajera?

—Ese debe de ser. ¿Sabe usted dónde vive?

—Como saberlo, sí lo sé... Pero no lo encontrará usté...

—Igual da... ¿Está su familia?

—La mujé, sí señó... Y la suegra, y los cuñaos...

—¿Hacia dónde es?

—Aguarde usté. Ya le guiará el chico.

El hombre se incorpora y camina hacia la choza de la esquina con paso tardo, roncero. Hay un compás de espera durante el cual la mujer y el viejo evitan mirarme a la cara. Al cabo, el joven reaparece con un chiquillo de extraña belleza, de pelo rubio, piel mate e inmensos ojos castaños.

—Paco, acompaña al señó a ca'l Luiso.

El chico me observa como atontado y el hombre se impacienta y añade.

—¡Hala, espabila!

Yo les agradezco su amabilidad y tiro con Paco cuesta abajo, por una vereda encharcada. El niño viste una americana de adulto que le cubre hasta las rodillas. El pelo le forma remolinos encima de las orejas.

—¿Conoces a Antonio? —pregunto mientras caminamos.

—No señó —Paco anda deprisa, con la frente inclinada.

—¿Y a su familia?

—Tampoco.

—¿Hace tiempo que viven en el barrio?

—Yo no sé na —dice.

El vecindario guisa al aire libre en improvisados fogones de piedra. Una vieja escamocha lechugas para la ensalada. Las mujeres escobazan y riegan a mano de cubo, espantando las moscas. En la puerta de su choza, un gitano se dedica a espartar vasijas.

De pronto subimos una pendiente muy costanera y Paco se detiene y apunta con el dedo hacia un hombre desnudo de cinturas para arriba que se enjabona brazos y cara frente a un balde de lona.

—Aquél es Luiso —dice. Y sin aguardar mi contestación, da media vuelta y aprieta a correr a todo escape.

El cuñado de Antonio es moreno, membrudo, de estatura baja y rostro curtido por el sol. Debe de volver del trabajo pues lleva una faja ceñida a la cintura y botas de cuero hasta media pierna. Cuando me acerco, zampuza la cabeza en el agua y resuella muy fuerte, con complacencia animal.

—Perdone —digo—. ¿Vive aquí uno que llaman Antonio Roa el Cartagenero?

El Luiso me mira fijamente y se seca la cara con calma antes de responder.

—Sí señó. Ésta es su casa.

—¿Podría hablar con él un momento?

Por la puerta asoma una mujer envejecida y amarga. Sus ojos oscuros centellean.

—¿Pa qué lo busca usté?

—Soy un amigo de su primo, el Vitorino...

—Mi marío no está.

—¿Cuándo vuelve?

La mujer se planta enfrente de mí con el rostro demudado.

—Eso lo sabrá usté mejó que yo...

Todavía va a añadir algo, pero cambia de opinión y se limita a sacudir la cabeza. El Luiso deja la toalla sobre el poyo y se vuelve hacia mí.

—¿Decía usté que es amigo de Vitorino?

—Sí señor. Nos conocimos en París y, al saber que yo venía por aquí, me dio una tarjeta con su dirección.

—Esa tarjeta, ¿la trae usté encima?

—Me parece que sí.

—¿Le molestaría a usté enseñármela?

Yo busco un instante por los bolsillos. La mujer y el Luiso cruzan una mirada.

—Aquí está.

—¿Me permite?

El Luiso coge la tarjeta y se mete en el interior de la choza. Al quedar a solas conmigo, la mujer me escudriña de pies a cabeza. En su rostro se transparenta un gran dolor.

—¿Viene usté de París?

—Sí señora.

—¿Trabaja usté allí?

Le contesto afirmativamente y la severidad de su mirada parece dulcificarse. Casi en seguida, el Luiso viene con mi tarjeta y un sobre con la dirección escrita a mano.

—Es la misma letra —dice.

Su expresión ha cambiado por completo y, fraternalmente, me pasa el brazo por el hombro.

—Venga, entre usté.

Le sigo a un comedor minúsculo, lleno de calendarios y fotos y, no hago más que trasponer el umbral, cuando la mujer rompe a llorar y dice:

—Se lo llevaron hace diez días y no hemos vuelto a sabé de él... Es como si la tierra lo fuera tragao.

6

De repente todo apareció claro: la desconfianza de la Chata, la reserva del Galera, las preguntas equívocas del dueño del quiosco, el miedo e inquietud que, sucesivamente, había leído en la faz de cuantos interrogaba. Los oídos me zumbaban y sentí que la sangre me afluía a las mejillas.

—Usté nos perdonará —dice el Luiso—. Es que creíamos que era usté... Bueno, usté ya me comprende...

—Sí.

—Aquí sólo suben los curas, los sacamantas, o ellos... El otro día sin ir más lejos, se presentó uno vestío mismo asín que usté, vendiéndose por compañero de trabajo de Antonio. Uno anda ya escarmentao...

—Un tipo de muy mala estampa —interviene la mujer—. No hizo más que llegá y va y me suelta; lo ocurrío con su marío es intolerable y debemos reacccioná y hacé eso y aquello; dándome cuerda pa que soltara el nombre de los compañeros que querían socorrerle. Y yo le digo: "¿Es usté amigo de mi Antonio, y no lo sabe? ¡Valiente amigo es usté!"

—Yo de mío me soy tranquilo y pacífico, pero el tío me desatinó. Me lo tenía yo calao de haberle visto pajareá po'l muelle y le dije: "Aquí hasta los peces nacen sabiendo leé y escribí; o deja usté en paz a la Isabé o le doy un rape que se va acordá usté de mí toa la vía..."

Luego, la mujer y el Luiso me explican la pelea del Cartagenero y su patrono, y la Isabel llora y se enjuga las mejillas con el pico del delantal.

—Cuando le viene a uno la negra no hay na que hacé...

—Cálmate, mujé; veremos que nos dice el abogao...

—Uno se desuña por ganarle la vía a los suyos y esa gentuza te viene a sacá de la cama y se te lleva ligao, como un criminá.

El Luiso dice que, vistan el uniforme que vistan, todos son para en uno —los azules, los grises, los verdes o los negros—. El comedor es pequeño, de suelo terrero y, de improviso, se llena de chiquillos y mujeres. Son la esposa del Luiso —hermana de la Isabel—, la madre de las dos hermanas —suegra del Luiso y el Cartagenero— y tres niños de pelo ensortijado —que la Isabel llama "mi Pepe, mi Candelín, mi Germán".

—Es un amigo del Vitorino —explica el Luiso—. Acaba de vení de Francia.

—Traía recuerdos pa mi Antonio —murmura la Isabel.

—¿Ya sabe que...?

—Sí. Se lo hemos contao.

—Una desgracia —dice simplemente la abuela.

—¿Y Vitorino? —dice el Luiso— ¿Qué tal le van las cosas?

—Muy bien.

—¿Esperando?

—Sí. Siempre esperando.

La abuela se sienta en una silla sin respaldo y sonríe plácidamente.

—Habrá como diez meses recibimos carta de él. Dijo que nos iba a enviá unas fotos de su mujé y los chiquillos, pero se le debió olvidá...

Los niños permanecen aferrados a la cortina. El más chico se acerca a sobrevienta a la Isabel e intenta subirle la falda.

—¡Uy, que criatura más mala! ¿No quiés da la mano al señó?

El chiquillo se escurre entre sus piernas y la madre suspira.

—Está acobardaíco. En cuanto ve a un forastero, se acorta.

—El más malicioso es el segundo —dice el Luiso—. Candelín no teme ni al demonio.

—No —dice el niño.

—Si lo viera usté peleá... Tié un carácter igualico al de su padre. Ése planta una fresca hasta el lucero del alba.

—Los pobrecicos no hacen más que preguntá por mi Antonio: "¿Dónde está el papa? ¿Cuándo viene el papa?..."

La Isabel se vuelve a mirarlos y Pepe y Germán bajan, avergonzados, la cabeza.

—¿Verdá que tenéis ganas de ve al papa?

Los niños no responden y la abuela acaricia la melena de Candelín. Hay un punto de silencio.

—¿Pué quearse usté con nosotros? —dice el Luiso—. No hemos preparao na; no hay más que la comía de diario. Pero estaremos muy contentos de compartirla con usté...

Yo intento excusarme e invoco las molestias que voy a causar, pero las mujeres insisten y me obligan con sus muchas atenciones.

—Lujos no encontrará usté... Hay gachas, pimientos, sardinas... Lo que comemos los trabajaores de esa parte.

—Muchas gracias.

—María, trae el vino y los vasos. Ande, acomódese usté.

El Luiso se desfaja mientras hablamos y la abuela le alarga una camiseta azul. La Isabel y los chicos desaparecen tras la cortina.

—Estamos recebando la carretera, allá por la Venta de la Cepa, y la caló nos mata —dice el Luiso.

—Antes trabajaba en el muelle de eventuá —interviene María—. Pero, con eso de la crisis, lo echaron fuera.

—Ahora andamos tos tan desmayaos de dinero que uno salta a lo primero que le cae.

—Ya no hay horas extraordinarias ni puntos... La gente no tié otro remedio que emigrá.

—En los pueblos to'l personá joven lía el petate y se larga pa Francia. Aquí, uno le da al callo durante ocho horas y no gana ni pa el puchero.

María nos sirve el vino y va a la cocina, a ayudar a su hermana. La abuela viene con un tarro de pepinillos macerados en vinagre. Los niños parecen impacientes y bullen alrededor de ella.

—Si usté quié, después de comé, le presentaré a algunos amigos del Vitorino —dice el Luiso—. Por el Camino Viejo vive uno que luchó con él durante toa la guerra.

—Si no lo estorbo a usted...

—¿Estorbarme? No, hombre... Los sábados por la tarde feriamos.

La Isabel trae un lebrillo de gachas y la abuela miga un chusco para los chiquillos. María, entre tanto, distribuye los cubiertos sobre la mesa. Los niños empuñan las cucharas y, a una señal de la madre, Candelín y Germán comienzan a tragar glotonamente.

—Aquí comemos al estilo de los cuarteles —se disculpa el Luiso.

—Si quié usté un plato... —dice María.

—No. Muchas gracias.

—A lo mejó no está usté acostumbrao...

—Sí, sí —digo.

—Hala, Pepe, ¿qué esperas?

—No tengo hambre —dice el niño.

—A ése le da lacha servirse delante de usté.

—A media mañana se comió un chusco él solo —dice la abuela.

—Los tres me han salío paniegos —suspira la Isabel—. Dos quilos que merqué esta mañana, no quea ya ni un trocín pa los pájaros.

La abuela no tiene dentadura y papa las gachas lentamente, vigilando a los niños con el rabillo del ojo.

—Hace unos años, mi hijo trabajaba en Grenoble, en una fundición. ¿Ha estao usté en Grenoble?

—No señora.

—Grenoble, ¿no es la Francia?

—Sí señora. Pero vivo en París.

—Para la abuela, la Francia es lo mismo que Almería —dice el Luiso—. Imagina que to'l mundo se conoce.

—Una vez, hace unos meses, subieron aquí unos señores franceses, con una máquina de retratá... Yo no entendía su idioma, claro, pero les dije Grenoble e hicieron que sí con la cabeza.

—Debieron de creé que les pedía usté una foto —ironiza el Luiso.

—Llevaban un aparatico asín de pequeño y nos echaron más de cien retratos. Yo quería que mis nietos se arreglaran un poquico, pero ellos dijeron que no, que ya estaban bien... Los tres parecían unos gitanos.

—Mi Candelín iba desnudo —dice Pepe.

—Si llego a está yo les fuera obligao a quitarse la ropa a ellos —dice el Luiso—. Los tíos guarros.

—Yo siempre he querío a la Francia. Cuando mi Juan fue a buscá trabajo y lo emplearon na más llegá, escribí una carta al Presidente pa darle las gracias y le envié una foto de tos mis hijos.

—Usté no comprende esas cosas, abuela. Si le dieron trabajo es porque lo necesitaban. Fuera ío el moro Muza y también le dieran.

—Aquí, el pobrecico estaba parao la mitá del año y daba grima verlo... To'l día aburrío de la casa al puerto, del puerto a la taberna... Sin un reá en el bolsillo. Viviendo de fiao...

—Yo le digo que en Francia lo explotaban mismamente que aquí. Únicamente que, allá, faltan brazos.

—Cuando sea mayó me iré a la Francia también —dice Candelín.

—Desde que era pequeñico asín que quié irse —explica la madre—. Tié un culo de muy mal asiento.

María va a buscar los pimientos a la cocina y la abuela sonríe y habla aún de los franceses que visitaron La Chanca.

La señora parecía muy fina... Estaba enamorá de mi Candelín... Yo les hice pasá dentro y retrataron también el comedó... Al despedirnos nos dimos un beso.

—Es usté demasiado buena —dice el Luiso—. Tos somos como unas malvas y, asín andamos.

Su voz es ronca, como impregnada de cólera secreta. El comedor se manda con la cocina y María coge la alcuza del aceite para freír. La abuela me mira cara a cara, pero yo no digo nada.

—¿Y su hijo? —pregunto al cabo de unos segundos—. ¿Aún está en Grenoble?

María ha puesto la sartén al fuego y el Luiso contempla el solejar de la calle. Los niños están inmóviles, como a la expectativa. La abuela sonríe con calma.

—Murió —dice.

—¿Murió?

La abuela me observa muy tranquila. Su voz apenas se ha alterado.

—Le explotó una caldera... Ninguno quería trabajá allí.

Algo me punza en el pecho —un redolor inquieto y sordo.

—¿Dónde? ¿En Almería?

Ella aguarda unos momentos antes de responder.

—No, en Grenoble... Un día recibimos un paquete de su mujé, con toas sus cosas... Hacía sólo un mes que estaban casaos.

7

La abuela abre el cajón de la mesa y saca un fajo arrugado de papeles que me tiende con mano temblorosa.

—Mire bien —dice—. Es to lo que me quea de mi hijo.

Hay un resguardo de la Carta de Trabajo, un certificado de la empresa Edouard Manet Fils, de Grenoble, una fotografía matrimonial en colores y media docena de cartas dirigidas a Juan Ramos Vázquez, de escritura rudimentaria, pueblerina.

—Éste era mi Juan con su mujé el día en que se casaron —explica la Isabel.

Yo hago ademán de devolver las cartas a la abuela, pero ella no las coge, rehúye la vista y me pide que las lea en voz alta.

—Yo se las decía a mi yerno Antonio y él las escribía. Esa crucecita que ve usté abajo la puse yo.

—A lo mejó no las entiende —dice el Luiso—. Aquí, cuando escribimos, el papé parece un campo de batalla.

—Pues claro que las va a entendé —protesta la Isabel—. El señó no va a pararse en pelillos ni ortografías.

—Lea, lea —insiste la abuela.

—Mujé, no lo apure usté... ¿Quié un poquico más de pescao?

—No, muchas gracias.

Cuando saco la carta del sobre, hasta los niños paran de comer. Todo el mundo aguza el oído.

"Almería, 15 de mayo de 1953.

Tu estimada madre ha recibido la postal de Grenoble de su querido hijo pues bien no sabes la alegría inmensa que he tenido porque le dices muy querida madre y ella te responde hijo de mi corazón.

Porque mi hijo lo tengo puesto dentro de mi corazón y al sabé que estás bien tu madre goza de alegría pues bien hijo mío esta carta que sale de Almería derecho a Grenoble es porque abraces a todos los hijos de las potencias extranjeras que se hallen aquí lo mesmo que tu i un fuerte abrazo a los hijos de la Francia que te amen con cariño porque tu madre se encuentra dichosa al ver que en Grenoble te han dado trabajo.

Cada vez que me voy a dormí pienso y sueño contigo y muchas veces por la mañana digo a mi hijo de mi corazón que vaya a trabajá i tu te encuentras en Grenoble tu madre en Almería.

Esta voz tan buena y querida es de tu cariñosa madre Grenoble se encuentra tu hijo y se que se encuentra bien la pena de mi corazón se ha vuelto alegría para que sepas hijo mío que tu madre te quiere mucho pues yo estoy bien de salú como deseo a mi hijo.

Sin nada más que decí recibirás un fuerte abrazo de tu madre.

TERESA."

Al terminar hay un largo silencio. Los ojos de la abuela han enrojecido y María enjuga torpemente sus lágrimas. El Luiso teclea con los dedos en el canto de la mesa. Por espacio de unos segundos se percibe el mosconeo adormecedor de la calle.

—Pa el pobre to son abrojos —dice la Isabel.

—Aquí el que no tira de la manta está perdío —corrabora el Luiso.

—Veintiséis años —dice la abuela—. No había cumplido aún los veintiséis años.

—No se agrace usté la vía, madre. Lo pasao, pasao está.

—¿Ha visto usté la foto?... Un roble era...

—Con entristecerse y llorá no ganará usté na —dice el Luiso—. Bastante tenemos con encajá lo de ahora.

—Eso es lo que pienso yo —agrega su cuñada—. ¿Alguno quié más sardinas?

Como nadie responde, la Isabel da una panoja a cada uno de los chicos. Luego agarra la fuente vacía y la mete a remojar en el balde.

—Bueno, sanseacabó —dice.

Yo ofrezco mi cajetilla al Luiso y, mientras él arrima el mechero y enciende, Germán se le sube en las rodillas y le pasa los brazos por el cuello.

—Éste es el más mimoso de los tres —dice la abuela—. Siempre lo verá usté con zirigañas.

—Andaba loco con su padre. Como mi Antonio acariciara a los otros, ¡Jesús, qué celos!

Candelín y Pepe tienen un pujo de risa. Germán oculta la cara en el pecho del Luiso, avergonzado.

—No os riáis de él —dice su madre—. ¿No veis que es pequeñico?

Las mujeres van y vienen con los trebejos de la cocina y, al acabar el cigarrillo, el Luiso se pone en pie y me invita a dar la vuelta por el barrio.

—¿A quién vais a ve? —pregunta María, algo inquieta.

—Le voy a presentá a algunos camarás del Vitorino... Si quiés vení tú...

—No. Yo me queo aquí, al cuido de los chicos.

—¿Y la Isabé?

—Tié una faena a las cuatro.

Yo me despido de las mujeres y los niños, y la abuela me ofrece su casa y todos me dicen a más ver.

—Vigila con quien hablas —susurra María a su marido cuando nos vamos.

—Ya vigilo, mujé.

—Desde lo de Antonio no vivo tranquila... Si alguno te pregunta qué ha pasao, tú canda el pico.

Fuera el calor ha cedido un poco, pero el sol luce todavía y el suelo huele a lejía y zotal. Mientras atrancamos por la bajada, el Luiso me explica que en La Chanca no hay médicos, ni dispensario, ni practicantes, ni mercado, ni agua corriente, ni, en la mayor parte de las casas, electricidad. Los vecinos deben buscar el agua a veces a centenares de metros, el alquiler de las chozas es de treinta o cuarenta duros y en los lavaderos hay que pagar un real por kilo de ropa.

—En ningún lao cuesta tan caro ser pobre —concluye.

Una mujer camina delante de nosotros, apoyándose en unas muletas. En la fuente, varios chiquillos aguardan turno con botijos y garrafas. Las cabras despuntan las hierbas del camino, y el zagalejo —un muchacho moreno y endeble, con pinta de medrar poco— gira alrededor de ellas y las empuja hacia el corral.

A medida que nos acercamos a la Cuesta San Roque, el barrio se humaniza progresivamente. Las calles son regulares, con acera de obra a los lados y, a intervalos, escucho una canción de Ella Fitzgerald dedicada a los Amigos de Radio Almería. Docenas de niños rondan las cercanías del Comedor Infantil de San Indalecio. El Luiso me señala el edificio modesto de la parroquia y, en seguida, torcemos pendiente arriba, en dirección al Barranco Crespi.

—El Sable anduvo toa la guerra con Vitorino y, al acabá, lo encerraron con él en Francia. Si lo pillamos, se alegrará de verle a usté. Ahora está retirao de to, pero no ha pasteleao como muchos otros. Es un tipo muy sano.

En el recinto destinado a arrojar basuras un niño escarba con una caña. La miseria se enseñorea de nuevo del barrio con su séquito de excrementos y moscas. Ya no hay electricidad, ni interiores embaldosados, ni ninguna de las comodidades elementales que en La Chanca constituyen símbolo de riqueza. Las chozas faldean la ladera rocosa y el camino hace una asomada sobre el puerto y la Pescadería. A esta hora el mar es intensamente azul. Las marrajeras se engolfan en la línea del horizonte. La montaña es ocre, corroída por la erosión. No hay árboles ni sembrado ninguno. Tan solo chumberas y pitas y, de trecho en trecho, alguna higuera raquítica, como atormentada.

El Luiso anda ahora despacio, tratando de orientarse entre las casucas y, a la postre, se detiene a preguntar a una canastera.

—Usté perdone. ¿Conoce a un hombre que dicen el Sable?

—Continúen ustés pa arriba —dice la mujer sin mirarnos—. Vive casi al finá.

Mi amigo le da las gracias y, mientras subimos, me entretengo en curiosear el interior de las chozas; la gente vive allí hacinada, sin retretes, camas ni colchones, compartiendo esteras y mantas con ovejas y borricos; las gallinas campan sueltas por las habitaciones y, en una cueva, el dueño ha instalado una porqueriza.

Un mozo rubio viene en dirección a nosotros y, al reconocer al Luiso, se para y le saluda con un movimiento de la mano.

—¡Paisano! ¿Qué te trae por ahí?

Mi amigo amaga arrearle en las mejillas y sonríe enseñando los dientes.

—Pues mira; andábamos buscando a tu padre... Este muchacho es amigo de un compañero de él que vive en Francia y quería darle recuerdos.

El mozo me estrecha la mano y, luego, arroja la colilla por tierra y palmea repetidas veces en el hombro del Luiso.

—Vaya, vaya —dice—. Conque de visiteo...

—Estábamos en la casa aburríos... Asín nos desapolillamos un poco.

—Ya estoy en lo de tu cuñao. Me lo dijo un compadre el otro día... ¿Habéis sabío algo de él?

—No, ni palabra.

—Paciencia, chico.

—Sí, paciencia.

—Los últimos serán los últimos en el reino de los cielos.

El mozo ríe de su propia salida y nos guía a una casuca algo mayor y más sólida que las otras. En el umbral hay un hombre de una cincuentena de años sentado en una silla.

—Padre —dice el mozo—. Aquí están unos compañeros que vienen a saludarte.

El viejo alza la vista y sus ojos se cruzan con los míos. En seguida se vuelve hacia el Luiso y se humedece lentamente los labios.

—Me alegro de verte —dice.

—Yo también —murmura mi amigo.

El viejo tiene los dedos gafos y tiembla violentamente. Para disimularlo intenta enlazar las manos encima de las rodillas. Su rostro está rígido, como muerto. El Luiso le observa consternado.

—¿Qué le ha ocurrío a usté, Sable?

—Está asín desde la Navidá —explica el mozo.

—Pues no sabía na... Nadie me lo tenía dicho.

—Un día le dio el tembleque y ya no le dejó... Por lo visto es cosa de los nervios.

—Ya me extrañaba a mí no verle nunca.

—Ahora no sale de casa... El médico dijo que con las inyeciones que le damos se podría curá... Pero cátate cómo se la han puesto los deos...

El Sable escucha la conversación resignado. Pasado el primer alegrón, nuestra presencia parece aburrirle.

—El amigo es un compadre de el Vitorino y quería saludarle a usté —dice el Luiso—. Como está aquí por unos días y, en seguía, se torna pa Francia, pensé que le agradaría hablá con él...

El viejo me vuelve a mirar. Su rostro no expresa emoción alguna.

—Si ve a Vitorino dígale que le deseo mucha suerte —dice.

—Ya se lo diré de su parte.

El Sable habla muy paso y añade unas palabras con voz ininteligible.

—Por la noche, hasta cuando duerme, no para de temblá —cuenta el hijo.

—¿Qué inyeciones le dais?

—Unas muy caras que traen de Alemania. El patrono de la barca se ha portao bien. El tío nos paga tos los gastos de dotor y de medicinas...

Durante unos minutos la conversación flaquea visiblemente; ninguno de los cuatro sabe qué decir. Luego, el Luiso saca un paquete de *Ideales* del bolsillo y nos ofrece una ronda. Al llegarle el turno, el Sable deniega con la cabeza. Hay un silencio penoso.

—¿No fuma usté? —En la voz de mi amigo hay un acento de súplica.

El viejo le mira y, con una claridad que me abruma, descubro que su mirada viene del otro lado de la barrera.

—Ya no, Luiso —dice—. Ya no.

8

MIENTRAS regresamos, el Luiso explica que, en sus años mozos, el Sable fue uno de los hombres más fuertes de La Chanca.

—Toavía cuando lo soltaron no había ningún joven que pudiera con él a pulso... Plantaba el brazo en la mesa, y no se lo doblaba ni Dios. Y, si se terciaba la ocasión de hablá, uno se queaba engustao escuchándole. El tío sabía discutí y arrumbaba al más pintao. En el muelle, tos los patronos le temían.

El sol ha comenzado a bajar poco a poco y parece que se respira mejor. La luz respeta la variedad de los matices. Las casas ya no son uniformemente blancas y el azul del cielo se intensifica.

—Los almerienses tenemos la boca muy dulce pa eso de renegá, pero el Sable levantaba verdaderas ronchas. Recuerdo que una vez el de la contrata nos quería encajá unos seguros y el Sable le puso de ladrón pa arriba delante de tos, hasta que el otro tuvo que achantarla...

El Luiso parece deprimido y, cuando le paso mi cajetilla de *Gitanes*, enciende el cigarrillo y aspira el humo en silencio. La nuez le sube y baja por el gañote y sus ojos de moro centellean.

—La vía lo ha castigao mucho —dice—. Antes de la guerra, su mujé y él llevaban un colmao detrás de Correos pero, al irse él fuera, se fue desaparroquiando de año en año y su mujé lo tuvo que vendé por na.

Los dos caminamos sin rumbo fijo, entre las basuras y las moscas y, de repente, mi amigo se detiene y me propone recorrer el barrio alto.

—Allá mira usté y cree que está en la India. Nosotros le decimos el Cerrillo del Hambre.

—¿Es más pobre que éste?

—¡Jodé! Los de abajo vivimos como canónigos.

El Luiso se expresa con cierto regodeo y yo digo para mi sayo que, de igual modo que los anfitriones de Madrid o Barcelona enseñan sus habitaciones confortablemente burguesas, el almeriense no puede ofrecer otra cosa que su pobreza y degradación. En uno y otro caso el impulso es idéntico; únicamente el decorado cambia.

Durante toda la tarde, mi amigo me escolta por sus dominios de hambre y raquitismo, tracoma y lepra, y el Luiso ronquea al hablar y en su rostro se pinta un deleite sombrío, un orgullo feroz y desesperado. En el mismo suelo que, hace siglos, fue testigo de una civilización floreciente; que, no hace ochenta años aún, poseía fábricas, fundiciones y minas, la miseria es reina y señora, y el almeriense vive la existencia esclavizada del hombre sometido a una bárbara explotación colonial. En tanto que la población de España ha duplicado en los últimos cincuenta años, la de Almería —pese a su índice vital, uno de los más altos de la Península—, ha descendido en un cero cuarenta y seis por cien. En este período, doscientos siete mil almerienses emigraron a Cataluña, Francia, América, a las cinco partes del mundo. Según estadísticas oficiales mencionadas por Pérez Lozano, entre los ochenta mil habitantes de Almería-capital hay diez mil pobres "extremos" y diecisiete mil pobres "necesitados", lo que suma un porcentaje de un treinta y cuatro por cien de pobres en la ciudad.

El Luiso me conduce por un dédalo de senderos y, al llegar a lo alto de la cuesta, las chozas se transforman en simples boquetes abiertos en la escarpa del tajo, sin revoque, puertas ni ventanas. Un chiquillo juega con un biberón vacío y parece observarnos con sus ojillos ciegos, devorados por el tracoma. Como a centenares de otros inválidos, sus padres deben de llevarlo anualmente al Santuario de Torre García, para invocar su curación a la imagen milagrosa de Nuestra Señora del Mar. En un muro de piedra alguno ha escrito: "Gibraltar para España", y el Luiso sigue la dirección de mi mirada y se adelanta a mi pensamiento.

—¿Y España pa quién?

En el interior de las cuevas entreveo figuras deformes de viejos, mujeres, criaturas. La locura, la tuberculosis se ceban en ellos y tengo la impresión de que se ocultan a nuestro paso. Sentado en la orilla del camino, un hombre vestido con camisa de soldado, se acaricia las mejillas, cubiertas por una barba de varios días. El pelo le cae en sortijas sobre la frente y, al cruzar junto a él, sus ojos miran sin vernos, vidriosos, impersonales.

—Éste es un bacilón de mieo —me confía el Luiso—. En cuanto tié un reá se merca un par de petardos y se quea asín horas y horas. El mes pasao resbaló por la calle y se pegó un santazo, que hubieron de darle tres puntos. El tío se perece por la grifa.

El sendero bordea una hilera de covachas abandonadas y mi amigo me coge del brazo y explica que en el barrio hay una porrada de fumadores.

—Al bajá te llevaré al bar en donde se reúnen —añade tuteándome—. Aquí le llamamos el Clú de los Bacilones. Algunos son compadres míos.

Luego torcemos hacia la barranquilla y, no hemos avanzado ni una docena de metros, cuando avisto a la vieja de la leche con quien tropecé por la mañana. Ahora descansa, sentada en una silla de tijera y ruega o maldice por lo bajo.

—Está loca —dice el Luiso—. Tenía dos hijos y los perdió en la guerra, durante el bombardeo de los alemanes.

Yo me acuerdo de los cepillos que hay en los comercios y bares de Almería con la inscripción: "Por caridad, un pitillo para los ancianos desamparados", y pregunto por qué no la han internado en el Asilo.

—Las monjas sólo puén recogé a los que cobran algún retiro. Ésta se muere un día en la cueva y no se entera naide.

El sol parece tintarse de rojo y la fauna del barrio se multiplica. La Chanca se despereza lentamente, aturdida todavía por el calor. Los pájaros revolean sobre los torreones de la Alcazaba y los vecinos invaden las calles y se comunican a gritos.

Mi amigo y yo bajamos la pendiente a trancos y, en la torrentera, el bullicio de un zoco improvisado evoca al de cualquier pueblo de Almería. Los gitanos van a regatonear con sus asnos, pero el público no se deja trastear fácilmente y, después de llevar poste durante largas horas, los feriantes se vuelven tan pobres como habían venido. Cerca de nosotros, dos hombres preparan la lechada para blanquear los muros de una casuca de adobes y el Luiso se detiene a charlar con ellos.

—Éste es un amigo que ha llegao de Francia —explica.

Los albañiles me dan la mano y me contemplan con envidia y curiosidad.

—¡Ah, la Francia! —dicen—. ¡Quién estuviera allí!

Uno de ellos me informa que acaba de solicitar el pasaporte. Es un gañán de facciones mongoloides, que habla con el deje cantarín de los de Cuevas o de Garrucha.

—Mi menda no se pudre ahí. De eso están al corriente

hasta los negros.

—¿Y el Cartagenero? —pregunta el otro.

—No sabemos na.

—Si yo fuera que tú me iría a ve al párroco. Al marío de la Luisa, parece que lo ayudó mucho.

—Mañana viene el abogao. Veremos qué va a decí.

—Esos tíos tien muy buenas despachaderas y yo no me fío un pelo. Cuando lo del accidente, el de la nómina me dijo: "Mañana irá un experto a verle", y aún lo estoy esperando.

En tanto que la conversación se prolonga, los chiquillos vagabundos del barrio andan a la husma y, a cada trique, se aproximan en grupos a oír y cuchichean alrededor de nosotros como una banda de pájaros.

—Es francés —oigo decir a uno—. Un franchute.

El Luiso y los albañiles hablan luego de un tal Mateo, que era un don nadie hasta hace muy poco y, actualmente, se encarga de la contrata de los trabajadores.

—El tío ha nacío de pie —dice quien ha pedido el pasaporte—. El verano pasao estaba entrampao hasta el cuello.

—A mí nunca me ha gustao —responde el Luiso.

—Desde luego sabe bandeárselas. ¿Has visto qué *Vespa* lleva?

—Si el Mateo está allí por algo será. Esa gente no da na gratis.

—Yo hablé con él y me dijo que él mismo fue el primé sorprendido.

—Tú tiés muchas creederas, paisano. El Mateo ha sido toa su vida un panza al trote, y los pillos acaban siempre por raleá. Ahora es pronto toavía. Espera a que descubra la hilaza.

—El tío pasea ya como si fuera mismamente el Aga Kan —admite el del pasaporte.

—El Gabrié tuvo una engarrá con él, habrá a lo menos seis años... Desde entonces los dos andan a vueltas.

—Yo os digo que un hombre que está a puertas como tos y de la noche a la mañana se encumbra no tié la conciencia tranquila. Eso es verdad ahí y en to país de garbanzos.

Los dos albañiles callan y mi amigo se despide de ellos y de nuevo nos estrechamos la mano. El sol está a punto de desaparecer y el ocre de la montaña pardea. Por la calle, los niños se apedrean con tiragomas. Los perros rastrean pistas falsas con el hocico pegado al suelo.

Mientras bajamos hacia la rambla, siguiendo el filo del viento, el Luiso se para frente a una de las casucas y golpea con los nudillos en la puerta.

—¡Emilio! ¿Estás ahí?

Como nadie contesta descorre el cerrojo y se queda inmóvil en el umbral. Una voz de hombre dice: "Ya va, ya va", y, a los pocos momentos, en mi campo visual aparece un joven de mal arate, ciñéndose apresuradamente los pantalones.

—¡Ah! —gruñe—. ¿Eres tú?

—Venía a buscá a el Emilio —dice mi amigo.

—Está en el bar. ¿Querías algo?

—No. Ya pasaré yo a verle.

El Luiso da media vuelta con brusquedad y, como pone sobreceño, le pregunto por el Emilio.

—¡Me cago en la mar! —dice—. Las cosas con que tié uno que apechá... ¿Has visto?

—¿Qué?

—Estaban en la cama él y la cuñá, tan y mientras Emilio... —el Luiso habla con voz ronca—. ¡La madre que los parió!

—¿Quién es él?

—Su hermano. El muy cabrón se le zumba a la mujé. Cuando he entrao la tía iba en cueros y se ha tapao con la sábana.

9

"ALMERÍA —escribió el geógrafo árabe Mohamed-Al-Adrisi— fue la principal ciudad de los musulmanes en el tiempo de los almorávides. Era entonces una ciudad muy industrial y se contaban en ella, entre otras, ochocientos telares de seda... Antes de la época actual alcanzó también gran renombre por la fabricación de materiales de cobre y de hierro y de otros objetos. El valle que dependía de ella producía gran cantidad de frutos que se vendían a bajo precio. Este valle, que lleva el nombre de Pechina, se halla a cuatro millas de Almería. El puerto de esta ciudad recibía embarcaciones de Alejandría y de la Siria y no había en toda España gentes más ricas ni más dadas a la industria y al comercio que sus habitantes, como tampoco más inclinados, ora al lujo y al derroche, ora al afán de atesorar."

Han transcurrido desde entonces nueve siglos y la historia de Almería se reduce a una devastación continuada —industrias, bosques, minas, hombres— interrumpida a trechos por invasiones y catástrofes. A los cinco años de su conquista por los Reyes Católicos, Jerónimo Münzer, tras evocar su esplendor pretérito, dice que "gran parte de la ciudad está en ruinas y deshabitada". Más tarde, las destrucciones y talas que siguieron a la rebelión de los moriscos descritas por Ginés Pérez de Hita, en sus *Guerras civiles de Granada* y el posterior decreto de expulsión de Felipe III confirieron a la provincia su fisonomía actual. A partir del siglo XVII, Almería se convierte en una colonia de explotación en manos de los monarcas españoles. Las raras tentativas de regeneración —como la proyectada repoblación forestal de la Sierra Cabrera bajo el reinado de Carlos II —no llegan a ejecutarse jamás. A fines del siglo XVIII, el *Diario de Viaje* del doctor Francisco Pérez Bayer significa un nuevo retroceso con respecto a las relaciones anteriores. A la tala de bosques sucede el saqueo sistemático de las minas por las empresas explotadoras inglesas y francesas. En el siglo XIX la emigración se generaliza. Cuarenta mil almerienses se establecen en África del Norte. Cuando el geógrafo francés Casimir Delamarre recorre la provincia en mil ochocientos sesenta, después de examinar las tristes condiciones de vida de sus habitantes concluye que "la igualdad entre los ciudadanos proclamada por la ley no ha penetrado aún en las costumbres y el pueblo de la provincia de Almería continúa sometido al capricho de un corto número de individuos que, por su riqueza o sus arrimos en Madrid, son los verdaderos amos del país".

El Luiso camina junto a mí ensimismado y, como si hubiera adivinado mis pensamientos, me coge del brazo y me mira de hito en hito a los ojos.

—Bueno, tú lo has visto. Ahora ya sabes como vivimos.

Lo dice remachando las palabras y me limito a asentir con la cabeza. En la costanilla los niños persiguen un gato a cantazos. Los muros blancos de Caritas nos ponen a socaire del viento y aprovechamos la ocasión para encender un cigarrillo.

—Luego vienen los franceses y nos retratan. ¡Me cago en sus muertos!

El Luiso me guía por el camino que seguí por la mañana. En la avenida, el gitano empuja todavía el tiovivo y nos detenemos a beber una cerveza en el quiosco. El cantinero es hombre de una treintena de años, delgado y moreno. Mientras nos sirve discute de fútbol con los clientes y asegura que él apuesta y apostará siempre por el Barcelona.

—Los del Reá están podríos de dinero. Aquello parece la ONU.

—El único clú decente es el Bilbao —dice un joven—. Al menos sus jugadores son españoles.

—Yo fui una vez al estadio del Barcelona —insiste el cantinero—. Mi cuñao se abona a la temporá y es un equipo que da gusto.

La conversación dura buen rato aún y, al fin, los consumidores pagan y cada uno tira por su lado, después de citarse todos en un café al día siguiente para escuchar la retransmisión de la final de la Copa del Generalísimo.

—¡Vaya! —dice el Luiso—. ¿También te ha dao por el fútbor?

El amo reanima el faria que lleva detrás de la oreja y sonríe contemporizadoramente.

—Hay que sabé alterná con el público, chavá... Gajes del oficio.

—En Almería hay mucha afición —aclara mi amigo—. Nos estorba lo negro y somos más inorantes que las piedras. Pero to cristo sabe quién es Puskas o Di Estéfano.

—La culpa la tién los diarios —dice el del quiosco—. Como no hablan de otra cosa...

—Nos tienden un anzuelo pa distraernos y, nosotros, zas, nos lo tragamos.

—¿Qué quiés? La gente es asín y es asín.

—Antes las cosas iban de otra manera...

—Antes, antes... Ahora tos marcamos el paso.

—Eso le decía yo al compañero. La vía aquí no es como en la Francia...

—No señó, no... Acá pué usté hablá de fútbor y toros cuanto se le antoje, pero lo demás...

El hombre hace un ademán muy expresivo con la mano y sonríe.

—¿Viene usté de Francia?

—Sí señor.

—Tengo allá dos hermanos mozos y una hermana casá. Los tres paran en un sitio que dicen Narbón.

—El compañero vive en París.

—¿Trabaja usté?

—Sí.

—Un amigo mío fue a París de manobre, pero no encontró na. Ahora va embarcao en un petrolero noruego.

Uno de los almerienses que recorren las tabernas de Hamburgo, Amsterdam o Le Havre. Rijosos y vivos. Pequeños y ardientes. "No gastan nada —me dijo una prostituta riendo—. Lo guardan todo para sus mujeres."

—¿Qué tal le va?

—Muy bien. Hace poco le escribí pa decirle que si conocía una plaza libre me avisase...

—¿Y tu novia? —dice el Luiso ¿Qué harás con ella?

—No lo sé. Acá uno termina aburrío...

—Tú aún, que tiés casa.

—Ahora mismo te la vendo por diez mil duros.

—Como si me dijeses por diez millones. —El Luiso me pone la mano sobre el hombro: —En este barrio ninguno de nosotros ha rascao un billete de mil durante el invierno.

—Si quiés que te enseñe uno —bromea el patrono.

—No, quita... Luego comienzo a removerme en la cama y no pego un ojo.

—Mejó pa tu costilla digo yo...

—Cásate y verás... ¿Cuánto te debo?

—Seis, y la voluntá.

—No hay voluntá.

—Ni hablar. Es mi turno.

—Conforme —dice el Luiso—. Si te paece pasamos un momentico por la casa. De camino, compraremos unas botellas.

El sol ha tramontado hace unos instantes y el cielo es limpio y azul. Los pájaros revolean, calan para el suelo, rastrean las basuras del camino y altean de nuevo con un grano de maíz o una gusana. Sentada por tierra, una chiquilla mordisquea un troncho de col. Los eternos pantalones remendados se escurren en medio de la calle. El Luiso da un rodeo hacia la Cuesta de San Indalecio y se detiene frente a una taberna.

—Es aquí —dice—. Mercamos un par de litros de tinto y asín lo bebemos en familia.

Dentro, varios hombres charlan junto al mostrador. Van vestidos con las ropas descoloridas de la gente de la mar, y, uno de ellos, bajito y rubio, habla con gran vehemencia y se toca continuamente la boina con la mano, como si temiese extraviarla.

—El tío me está buscando las pulgas y un día le ajustaré las cuentas.

—Tú díselo al amo. Con hacé las cosas a la brava no ganarás na.

—Esta mañana mi mujé me dice: "Ya ha vuelto a las andás. La tía Elena lo ha visto cuando echaba el cubo."

—¿Estás seguro que lo hace aposta?

—¿No te lo digo? El gachó quié la casa pa sus cuñaos. Si lo campanea por ahí: "Si no se van, habrá sangre."

—Eso es verdá. Mi mujé lo oyó en el mercao.

—Pues que espere porque, si sangre corre, no será la

mía... Uno tié más paciencia que un santo, pero la paciencia también se acaba...

El dueño le escucha embobado y, cuando mi amigo le encarga el vino, se va a abrir la espita del tonel a regañadientes.

—Estamos hablando del Legionario —dice.

—Ya.

—Ca vez que la mujé de Juan cuelga la ropa, el tío la empuerca con un balde de agua sucia.

El amo vuelve a pegar la hebra con los pescadores y el Luiso coge las botellas y se dirige a la salida.

—¿Cuánto es? —digo.

—Na. Aquí pagamos a fin de mes. Si quiés tú, ahora compras unas morcillas en el colmao.

Así lo hacemos y, de camino hacia la casa, andamos emparejados y el Luiso me refiere la tragedia de Emilio. La luz del crepúsculo embellece la faz seca y raída de La Chanca. El viento se ha entablado y, por el cielo, boga una flota de nubecillas. El reloj marca las ocho y media.

—Supiera escribí y, con historias de esas, llenaría un libro de más de mil páginas —concluye mi amigo cuando llegamos.

10

EN LA CASA, los niños nos tributan un recibimiento triunfal. Al avistarnos, Candelín y Germán se precipitan a nuestro encuentro y observan codiciosamente los paquetes que su tío trae bajo el brazo.

—¿Qué es? —dice Candelín—. ¿Judías?

—Aquí los chicos no corren tras los juguetes —dice el Luiso—. Únicamente se interesan por comé.

—Por comé —repite Candelín como un eco.

—El día de los Reyes hicimos un puchero con más de tres quilos de carne y lo limpiaron ellos solos.

Pepe nos aguarda a la puerta de la choza, leyendo un tebeo junto a la abuela.

—El amigo ha comprao embuchaos como pa alimentá a un regimiento —dice el Luiso—. ¿Dónde está mi María?

—Ha bajao a mercá a lo de Pedro. Vuelve dentro de un momentico.

—Yo no quería venir por no molestarles, pero el Luiso ha insistido y...

—Ha hecho usté muy bien. Pepe, dale tu silla al señó. Hale, siéntese.

Pepe obedece y se acomoda en el suelo sin tomarse la molestia de alzar los ojos. Durante nuestra ausencia, el peluquero le ha aliviado los rizos que le caían por la cara, y los pelos se le disparan hacia arriba como las púas de un peine.

—Éste no pué viví sin sus novelas —dice la abuela—.

Desde que se levanta hasta que se acuesta, to'l santo día quemándose las pestañas... ¡Jesús, lo que debe de llevá en la cabeza!

—¿Qué lees? —digo.

El chico me alarga el tebeo con manifiesta desgana.

—Las aventuras de Roberto Alcázar y Pedrín.

—Tonterías —dice el Luiso—. Más te valiera aprendé la tabla de multiplicá.

—Ya la sé.

—Tú has nacío sabio y, luego, el maestro te examina y te da calabazas.

—Fue Paquico, que no sabía y me confundió —protesta el niño.

El Luiso deja las compras encima de la mesa y agarra un taburete para sentarse a la fresca con nosotros.

—Qué —dice la abuela—. ¿Con quién habéis hablao?

—Fui a Roma y no vi al Papa —dice el Luiso—. ¿Sabías tú que el Sable se desgració?

—¿El Sable? ¿Qué le ha ocurrío?

—Na. Que le dio un tembló y no para ni un segundo. Asín, asín, como el primo de Antonio cuando enfermó de silicosis.

—Un hombre tan fuerte —suspira la abuela.

—Da lástima verlo. Apenas pué hablá.

—¿Y Emilio? ¿Estaba Emilio?

—No. Tampoco lo encontré.

—¿Dónde lo has llevao, entonces?

—Por el Cerrillo del Hambre y el Covarrón.

—Hay mucha miseria por allí —dice la abuela.

—Sí, mucha.

—Es un barrio dejao de la mano de Dios.

Cuando María viene me levanto a saludarla. El Luiso le

ayuda a llevar los paquetes a la cocina.

—Mujé, tráenos dos vasos —dice.

La noche cae sobre La Chanca tal una inmensa ala de cuervo. Los niños discurren en la oscuridad como duendes. Pepe lee aún con el tebeo pegado a los ojos y en el interior de las chozas se encienden los primeros candiles.

—Ten, bebe —dice el Luiso—. Es un vino de la provincia. Un buen vino.

El tinto tiene un tastillo áspero y lo saboreo lentamente. El Luiso fuma retrepado contra la pared.

—Eh, tú —dice al chico—. Suelta el papelucho de una vez.

—Espera, ya acabo.

—Si te viera tu padre, te largaba una guantá.

María alumbra el fuego de la cocina y Pepe recoge los tebeos del suelo y se va a leer al comedor.

—Está loco con los libros —dice Candelín.

—Tú achántala, que nadie te ha dao vela en el entierro.

Candelín ríe y esconde la cara en el regazo del Luiso, apoyando la frente en la portañuela de la bragueta.

—Anda. Déjanos en paz y vete a ayudá a la tía.

—Tengo hambre —gime el niño.

—Cuanto antes vayas, más pronto comeremos.

Candelín y Germán corren a servir la mesa y entre trago y trago examino los grupos familiares que toman la fresca como nosotros, iluminados pobremente por velones y candiles.

—¿Le he hablao alguna vez de mi marío? —dice la abuela de pronto.

Sus ojos parpadean en la penumbra y sonríe como pidiéndome perdón.

—No señora.

—Le decían el Batalla porque en su pueblo tos llevan un

mote desde mozos... ¿Ha sentío usté nombrá un sitio que llaman Villaricos?

—Sí señora.

—El nació allí. Embarcaó como su padre y sus hermanos, que en gloria estén... A mi marío no le gustaban los discursos y tenía fama de salvaje, pero no había en Almería otro más generoso que él, ni más desprendío, ni de corazón más bueno. Na era suyo, ¿comprende usté? Quienes andaban apuraos venían a pedirle y él daba cuanto tenía hasta escasearse por los otros...

La abuela se expresa con lentitud, como si al exponerme la historia del Batalla buscase más que ilustrarme a mí, despejar una moral para sí misma. Un hombre cruza la calle pregonando el agua de Araoz.

—No sabía leé ni escribí, ni puso nunca los pies en la iglesia... Un día don Feliciano vino a verme y me dijo: "Su marío es un hereje y cuando muera se condenará y usté debe de convencerle pa que rece y vaya a confesarse" y, cátese usté que, quién lo decía, era uno de esos curas de misa y olla que bailan el agua a los ricos y no quién sabé na de nosotros, y yo le dije: Aprenda usté de él y déjese de prediques, que mi marío es más cristiano que muchos que presumen y, si alguno de los dos ha de perderse, será usté con sus latines y no mi marío, que es recto y hace lo que debe hacé... ¿Te acuerdas, María?

—Sí, madre.

—¡Uy lo que le dije! Y desde aquel día, don Feliciano no vino más a casa y, por la calle, hacía como si no me viera, pa no contestarme el saludo...

Cuando la Isabel llega, la abuela se levanta y entramos en el comedor. La mujer del Cartagenero ha fregado los suelos durante toda la tarde. Los niños brincan alrededor de ella y Germán se encarama a sus brazos.

—Voy muerta —suspira.

—Estábamos hablando de tu padre —dice la abuela.

—Hoy le ha dao a usté por la tristura —dice el Luiso—. Va usté a aburrí a nuestro amigo.

—En absoluto —digo.

—Ande, siéntese —dice María—. Ahora traigo las morcillas.

—El amigo ha comprao unas cosas a los chicos —explica el Luiso a su cuñada—. A lo menos ha gastao quince duros.

—¡Jesús! —dice ella—. Lo vamos a aruiná y luego, no podrá volvé usté a Francia por nuestra culpa.

María sirve la cena en el lebrillo y la conversación del mediodía se repite: cómo prefiero comer ¿con plato? ¿o sin plato? Yo digo que me gusta el sistema de los cuarteles y los convenzo al fin.

—Mi marío nunca se metió en política —prosigue la abuela después de una pausa. Aunque rodeada de los suyos parece tener la mente muy lejos y me vigila con el rabillo del ojo, como para cerciorarse de que la sigo: —En el treinta y seis los del pueblo formaron un comité y vinieron a buscarle, pero él no tenía na contra los curas y dijo que no quería hacé mal a naide. Y cuando entraron los militares y afusilaron a los del Comité, también fueron a verle pa que se hiciese falangista y él no quiso y, encima, les puso de criminales ¿os acordáis?

—Sí, madre.

—De habé querío se fuera encumbrao como tantos y prefirió seguí porteando el minerá de la mañana a la noche y llegá a casa rendío y cobrá una semaná de miseria.

—¿Estaba usté en España cuando hubo la sequía? —pregunta María.

—Sí señora.

—¿En qué sitio vivía usté?

—En Barcelona.

—¡Ah!, en Barcelona... Allí llueve y los patrones dan trabajo. En Almería los pobres reventábamos de hambre.

—Fueron años muy duros —dice la Isabel—. El aceite iba a sesenta el litro y el arroz a veintitantos... En el pueblo, la mitá del personá se mantenía con hierbas.

—Vuestro padre subía a la sierra con un hocino y un saco ¿os acordáis?

—Sí, madre.

—Cogía esparto, chumbos, palmitos, lo que se cría acá por la montaña... El día en que mi Juan se puso malo entró en la huerta de don Armando y esquilmó dos arrobas de patatas. ¿De dónde las has sacao?, le dije. Las he robao, me dijo. Y aquella fue la única vez que le he visto llorá.

—En mi vía he comío tanto y tan engustá —dice María—. Llenamos un caldero de diez quilos y no quearon ni las mondas.

—Luego, mi Juan sanó y nos fuimos a buscá los garbanzos a otro lao —dice la Isabel—. Nos marchamos sin preventí a la familia y anduvimos quince días por los cortijos, durmiendo al raso y mendigando pa comé. Muchos patrones, al oírnos pedí limosna nos gritaban: "Fuera, aquí no queremos haraganes", y, cuando les ofrecíamos trabajá por la comía, se callaban y nos echaban un mendrugo de pan.

—Mi marío y yo sufríamos por vosotros. El pobre se había sacrificao toa la vía y, por la noche, no paraba de moverse y salía a la carretera por si os veía llegá... Mientras corrieron por esos mundos creo que no durmió ni un minuto, ¿verdad, María?

—No, madre.

—El día que volvisteis, ¡Jesús, qué alegrón! Ni tu padre ni yo hacíamos cosa a derechas. Os dábamos por perdíos o muertos y nos parecía que Dios os había resucitao de milagro...

El rostro de la abuela se aviva poco a poco y los chiquillos la observan intrigados. Candelín y Germán devoran glotonamente las morcillas. Aprovechando la distración de los mayores, Pepe sigue leyendo el tebeo.

—Volviendo con mi Juan al pueblo, la guardia civí nos detuvo en el puente de Cuevas. Yo pensaba que nos iban a encerrá a los dos, pero los guardias nos miraron las manos y, al vé los callos y cicatrices, nos dejaron continuá palante. Después me enteré de que si pillaban a alguno con las manos limpias lo detenían por ladrón y le arreaban con el fusí pa que confesara que había robao.

—Tú no pués imaginá las que pasamos —dice el Luiso—. La mitá de las noches nos acostábamos en ayunas y pa tastá algo había que cogé el tren de Guadix y bajá en Benahadux...

—En Villaricos los críos tenían la panza hinchá y las piernecicas como palillos —dice María—. Quien no estraperleaba se moría de asco.

—Semanas y semanas comiendo naranjas —dice la Isabel.

—En primavera, regaliz y caña... En verano higos chumbos y uva...

El Luiso desgrana sus recuerdos, pero la abuela le escucha con impaciencia y se remueve en la silla y se aclara la garganta, preocupada aún por lo que quiere decir. Al fin el Luiso calla y la abuela se encara bruscamente conmigo.

—Mi marío pensó siempre que un trabajaó debía podé ganá la vía a los suyos —dice.

Hay un silencio durante el que se percibe el traqueteo de un carromato y las voces del hombre que pregona el agua de

Araoz.

—Hasta el año del hambre había creío en sí mismo y, al enfermá mi Juan, vio que se había equivocao... En casa no había pa comé, su hijo se moría. Y entonces hizo como los demás, pero era demasiado viejo pa mudá de idea y, cuando robaba, robaba desesperao y se agrazaba la vía... Por eso, el día en que le denunciaron y lo prendió la guardia civí fue al cuartelillo sin protestá y no quiso defenderse. Según su idea, los guardias tenían razón...

La abuela contempla la fotografía del Batalla que cuelga del tabique. Es un retrato amarillo, borroso, que lo representa con los brazos cruzados y el cuello rígido, en una actitud a la vez tímida y arrogante.

—Estuvo encerrao sólo unas horas, pero al salí ya no era el mismo hombre. No más verlo, yo me di cuenta. Él, que tan fuerte y animoso era, parecía envejecío de golpe. Luego, comenzó a bebé...

La abuela señala el aparador con el dedo y se vuelve impulsivamente hacia mí.

—¿Ve usté esa botella?

—Sí señora.

—Envasaba siete igual en menos de un día. Quietecico en su rincón, sin molestá a naide...

—Daba grima verlo —dice María—. Sucio, sin afeitarse, iguá que un mendigo...

—Yo no lo contrariaba porque adiviné que quería morí. Si había que robá pa mantené a los hijos él había marrao la vía y no tenía ganas de continuá, ¿usté comprende?

A la abuela le tiembla la voz. La luz de la vela agiganta nuestras sombras en el muro. Fuera, un niño canta el himno de los Flechas Navales.

—Usté me perdonará. No quisiera ser aburría y molestarle con mis historias, pero he pensao que usté sabía más que nosotros y tal vez podría ayudarme...

La abuela se detiene como si le cobardearan las palabras. El viento cimbrea la mecha de la vela y la llama comienza a extinguirse.

—Mi marío nunca me lo explicó. Desde joven me había enseñao a obrá rectamente y el día en que tuvo que robá pensó que era mejó irse, pero, si aprendió algo nuevo, se llevó el secreto a la tumba...

La abuela me mira y, al mismo tiempo, descubro los ojos del Luiso, la Isabel y María fijos en mí.

—Usté que ha estudiao y corrío mucho, dígame: ser bueno y honrao ¿no basta?

La llama está a punto de apagarse y María va a buscar lumbre a la cocina. La pregunta de la abuela flota unos minutos en el aire y, como nadie la contesta, la tensión disminuye y, al cabo, todos fingimos olvidarla.

—Bueno —dice el Luiso rompiendo el silencio—. El amigo y yo vamos a da una vuelta. Si queréis salí, nos encontraréis a las once en el bar de Luciano.

11

El Club de los Bacilones es un bochinche oscuro y sórdido que, a primera vista, no se diferencia en nada de los restantes tugurios de Andalucía. Su clientela está integrada casi exclusivamente de ganapanes y ociosos, que matan el tiempo trageando o haciendo sitio en la acera. La mayor parte de ellos permanecen de arrimón todo el día, a la espera de una chapuza o algún remoto trabajo. Otros venden cartones de tabaco rubio o vocean billetes de lotería. Los hombres vencidos de La Chanca van a varar allí irremediablemente. La miseria hermana el desencanto de sus facciones y entelaraña sus ojos de un velo brumoso, inconfundible.

Cuando llegamos, Emilio refiere la historia que el Luiso me ha contado hace unas horas. Sus compañeros le escuchan cabizbajos y por su expresión deduzco que la saben de carrerilla. El amigo del Luiso viste pantalón roto y una camisa muy traída teñida de negro. Es pequeño y delgado, pero machaca las palabras con fuerza, acompañándolas de ademanes secos, cortantes.

—El tío indino decía que mi mujé y yo vivíamos acoplaos y que no había reconocío a la niña y, cuando me echaron, le esperé en la puerta de su casa y le dije: "Señó Cardona, es usté más malo que un doló; usté ha arruinao pa siempre mi vía, pero un día me las pagará; por Dios, la Virgen y los santos del cielo que me las pagará..."

Emilio golpea con el puño en la palma de la otra mano,

una vez, dos veces, tres veces. Por la frente le cae una mecha rubia y la sacude con violencia. Los demás asienten con la mirada, en silencio.

—El día que lo pille lo dejo en el sitio. Por ésta que me lo cargo...

Emilio ha formado una cruz con el índice y el pulgar y la besa con pasión. Poco a poco, el grupo se dispersa. Los que quedan miran fijamente el suelo. Por la acera viene un joven pisándose los trabones y le alarga un duro arrugado.

—Dame un quitapena de los buenos.

Emilio pasea la vista en torno con ojos de poseso y, al fin, haciendo un esfuerzo visible, revuelve en el interior de sus bolsillos y saca un cigarrillo muy fino, envuelto en papel marrón. El Luiso me coge del brazo y me arrastra dentro del bar.

—Es una lástima —dice—. Desde lo de la chiquilla no es la misma persona.

En las mesas, los asiduos discuten y juegan al dominó. Las fichas producen un ruido desapacible al chocar con el mármol. Mi amigo me guía al único rincón libre y nos acomodamos junto a un zanquillas de rostro astuto, que el Luiso llama Chirrín.

—Te presento a un camará —dice.

El hombrecillo me da la mano y quiere saber cuál es mi nombre y de dónde vengo y si tengo familia en Almería. Yo le respondo mecánicamente y, al enterarse de que trabajo en París, el rostro se le encandila y me habla de una revista ilustrada que un amigo trajo de Francia.

—Las tías iban en pelota, paisano... ¡Quién viviera allí!

El Chirrín es hombre rijoso y, al sonreír, enseña los dientes amarillos, picados. El Luiso encarga una botella de vino para los tres y, cuando el mozo vuelve, debo forcejear para pagarle. De golpe me ha invadido una gran tristeza y tengo ganas de golpear con el puño lo mismo que Emilio.

El vino es añejo —algo repuntado— y lo bebo rápidamente, para olvidar. El humo, las voces, el ruido de las fichas se mezclan, hasta confundirse, en mi cerebro. Durante unos instantes la cabeza me da vueltas. Luego, en la taberna entra una mujer de buen ver y Chirrín me sacude con el codo.

—¿Has visto? ¡Vaya recámara!

—¿Quién es? —digo.

—Aquí la llamamos la Viuda —contesta el Luiso—. Su marío trabajaba en el puerto.

—La tía está ca día más guapa. Mi mujé la tié aborrecía, tanto me la miro yo.

—Tú miras hasta a un espantapájaros.

—Achicharraíco me tié, te lo juro. Como apañe algún día dinero, del cohete que echamos la dejo morá.

—Ésta es pan comío —explica el Luiso—. Por veinte duros hace lo que a uno se le antoja.

—Me cago en ella y tos sus calostros. ¿Por qué no habré nacío yo millonario americano de esos que vemos en el cine...?

El Chirrín la contempla embebecido y chasca la lengua y se remueve nerviosamente en la silla.

—Sí. ¿Por qué no seré yo Crar Gable, pongamos por caso, y me siente a fumá un puro, y una hembra de esas que te privan el sentío, me telefonee y me diga, vienes a verme, cariño? Y, apenas he colgao, me llame otra, y luego otra, y asín toa la vía, viviendo y disfrutando...

—Tú tiés más fantasías que un gitano —le corta el Luiso—. La vía no es esto aquí, ni en América, ni en la Cochinchina.

—Sí —prosigue Chirrín sin escucharle—. ¿Por qué no seré yo rey, o sultán moro de la India, con un harén lleno de esclavas, y la María Montez a mi lao, bailando pa mí solo...?

—¿De quién hablas, compadre? ¿De la Viuda, o de María Montez?

—Te juro que esta mujé me trae por el camino de la amargura...

—Dale cuarenta duros en lugá de decirle flores.

—Cuarenta mil le daría si los tuviera... ¿Te has fijao cómo ríe? ¡Ay, si la agarrara por mi cuenta! ¡Qué restregón, madre!

El Chirrín anda entre dos velas y contrapuntea con voz estropajosa acerca de la Viuda y sus encantos mientras ella bromea y discute con los hombres de la barra. Al acabarse la botella, el Luiso pide otra. En la mesa vecina los jugadores se pasan un cigarrillo de grifa de mano en mano, recogidos y dignos, igual que comulgantes. La luz de la bombilla descarna y erosiona los rostros.

Sin que yo me dé cuenta, una mujer bajita y rubia ha irrumpido en el bar y, al divisar a Chirrín, camina con paso decidido hacia nosotros y le da con la mano, en el hombro.

—Hala, tú... Que es hora de dormí.

El Chirrín alza la frente y le dirige una mirada desmayada.

—Espera una miaja, mujé... Ya voy en seguía.

—Estoy hasta las cachas de esperá. Tú te vienes conmigo.

—El compañero me ha invitado a bebé... Cinco minuticos, y subo pa casa.

—Bueno, pues te aguardo yo aquí.

—Jesús, qué desconfiá... No voy a repulsá a un amigo.

—A un amigo o a una tía guarra, que ni vergüenza tiés, mira que te digo yo...

—Mujé, tú siempre sacando punta a las cosas.

Ella se vuelve hacia nosotros, tomándonos por testigos.

—Mi marío es muy señorito e imagina que tié una sirvienta en su casa... Pues no señó. Si te vas esta noche de farra, nos iremos los dos.

—Mujé, vete a freí la sangre a otro lao...

—Mujé, dale con mujé. Valiente fachenda estás hecho tú... Si quiés una tajadica de pan pa cená, ahora mismo me acompañas a comprarlo. A mí no me quea ni un reá.

El Chirrín mueve la cabeza con gesto de resignación y saca un billetero sobado del bolsillo.

—El señó lleva más papeles que un ministro —comenta ella con voz ácida—. Un ministro sin cartera.

—¿Cuánto quiés?

—No, si no me voy a ir. Yo no me quito de ahí hasta que tú salgas.

El Chirrín protesta y amenaza, pero todo es inútil. La mujer se encastilla en su decisión y, aunque él jura y rejura que jamás la ha vendido, no quiere hacerle caso.

—Mi marío es un hombre muy simpático... Los demás sacan de paseo a sus mujeres; él nunca. El señó se desprecia de paseá conmigo. En cambio, cuando se trata de las otras, deben verle ustés. Na le parece suficientemente bueno. Una se desoja remendándole los pantalones pa que no enseñe el culo y él les compone versos y las levanta hasta los cuernos de la luna, mismamente que a diosas.

Al final, Chirrín no tiene otro partido que ceder y los dos se pierden en la oscuridad, discutiendo. En la mesa vecina la grifa sigue dando vueltas y se me ocurre de pronto que, en aquel universo sin luz, los pobres deben recurrir a ella para entrar en contacto. Desde antiguo, el alienado ha buscado un expediente para liberarse y romper los límites de su condición. Drogas, mitos, ceremoniales, responden, a su manera, a esta necesidad y permiten las evasiones momentáneas sin las cuales la estructura actual de la sociedad se derrumbaría. En mil novecientos sesenta la grifa es la comunión de los hombres de La Chanca. Por espacio de unas horas el fumador olvida los salarios de treinta y seis pesetas, el odio hacia el prójimo, el hambre de los hijos. Lentamente, la expresión de su rostro se suaviza y compadrea y sonríe con maravillosa fraternidad.

Yo me desalmaba también por fumar y el vino se me antojaba flojo y apuré el vaso de un tiento. Las imágenes del paseo no se despintaban de mis ojos y tenía la impresión de vivir una pesadilla. Cuanto había callado durante el día me requemaba los labios. El recuerdo de las injusticias sufridas y no reparadas adquiría a ratos una consistencia abrumadora. Almería era una encarnación del Gran Cáncer, y deseaba comprender el porqué de aquel absurdo. Mi sangre bullía, y no precisamente de contento. El cielo se me juntaba con la tierra y el mundo me parecía sin solución, como la angustia después de una noche de insomnio y, en mi desamparo, hubiera dado cualquier cosa por concentrarme y aclarar la razón de tanto dolor inútil, de tantos años sacrificados por nada; por agarrar el manual de geografía que estudié en el colegio y rayar con un cuchillo la frase "Almería es una provincia española".

Almería no es una provincia española. Almería es una posesión española ocupada militarmente por la Guardia Civil. Siglo tras siglo, la incuria de los sucesivos gobiernos ha arruinado sus primitivas fuentes de riqueza y la ha reducido a su actual condición de colonia. El almeriense esclavizado en su patria chica emigra y es explotado aún en las regiones industriales de España.

La discriminación económica le persigue donde quiera que busque la vida. Las cifras de Pérez Lozano hablan por sí solas. En Guipúzcoa, la renta media por cabeza es de veintidós mil setecientas setenta y siete pesetas. En Almería, cinco mil novecientas noventa y ocho.

Estas y otras muchas verdades barajaba yo en mi cerebro, cuando el Luiso se incorporó de repente y propuso que fuéramos a tomar el aire. Yo quería respirar libremente también, pero ya no había aire para mí en Almería. Estábamos ahogándonos sin remedio y nadie se daba cuenta.

12

DURANTE unos minutos anduvimos caminando por las calles que había recorrido por la mañana. El Luiso quería presentarme a un tal Luciano, persona de absoluta confianza según decía, y yo le seguía un tanto a la deriva, secuestrado por la idea del Gran Cáncer. Estaba convencido de que cualquier tentativa de explicación sería inútil si no partía desde el comienzo y me esforzaba en llegar a la raíz última de las cosas. La Chanca era un ejemplo entre mil de una misma —trágica, abrumadora— realidad. Mi furor había cedido paso a un asombro sin límites y, mientras el Luiso maldecía su suerte y la mía y la de nuestros prójimos, imaginaba que todo era una alucinación, un espejismo de borracho, un mal sueño que no acababa, una pesadilla violenta.

Vista de fuera, la taberna me resultaba vagamente familiar y, cuando entramos, reconocí al patrono calvo, de cejas peludas, que había combatido en la Resistencia y a quien di mi paquete de *Gitanes*.

Continuaba acodado en la barra, en la misma postura en que lo había dejado y me observó con sus ojos oscuros, vivísimos.

—¿Qué tal el paseo?

Parecía contento de verme y, por la expresión atónita del Luiso, comprendí que era Luciano.

—¡Jodé! —dijo—. ¿Os conocíais?

Luciano buscó la cajetilla de *Gitanes* y me alargó el mechero.

—Estuvo por aquí esta mañana —repuso.

—¿Hablasteis?

—Sí, pegamos la hebra un ratico.

El Luiso refirió la historia de mi visita al Cartagenero y, reunidos los tres en torno a una jarra de Albuñol, comentamos las cosas que ocurrían en España; a Luciano le brillaban los ojos y dijo que nunca se había visto nada igual en todo lo que el sol cobija.

—Explíqueme usté —murmuró, encarándose conmigo—. ¿Existe un país como el nuestro?

Yo tenía el cuerpo acorchado de cansancio y no le contesté. La mujer y la suegra del Luiso habían venido a buscarle y Luciano nos llevó a una mesa algo alejada de las otras. Las dos me sonreían ahora como si nos conociéramos de toda la vida y estuve a punto de gritar.

—¿Lo pasaron bien?

—Muy bien —dije.

La abuela me contemplaba con sus ojos tranquilos y me acordé de la carta de Grenoble y de los franceses que le sacaron fotografías y vacié mi vaso con avidez.

—Hace años y años que pienso, y ca día entiendo menos —dijo Luciano.

Había movido los labios para añadir algo, pero mudó de opinión y se limitó a amorrar la cabeza.

—Antes, las palabras significaban alguna cosa... Había palabras buenas y palabras malas... Uno sabía a qué atenerse.

Miraba por tierra ensimismado y tragó saliva.

—Ahora, no. Uno las lee y no sabe qué quién decí... Ya no hay palabras buenas ni malas... Sólo corren buenas palabras.

Luciano se expresaba con dificultad y, mientras se detenía a tomar aliento, reparé en las arrugas de sus mejillas. Eran unas señales que conocía bien, fruto de un amor desesperado e inútil, de un hermoso deseo contrariado. En cada pueblo de Almería había mujeres y hombres con arrugas parecidas y pensé en Vitorino y me sentí lleno de congoja.

—Sin duda, la pregunta es absurda, pero quisiera que alguien me aclarara este misterio... Las palabras en las que uno creía han perdío su significado... Uno las escucha tos los días y no las reconoce ya...

Luciano me miraba, fija, dolorosamente, y asentí con la cabeza.

—Por ejemplo, "nosotros"... ¿Quiénes somos nosotros?... Uno ve escrito "somos", "tenemos", "hacemos", "queremos", y no es, ni tiene, ni hace, ni quiere lo que reza el diario... Son ellos, y no nosotros... Es un "nosotros" que no es nuestro...

—¿Y qué quiés que hagamos? —dijo el Luiso.

—Aquí finca el asunto —Luciano parecía perplejo—. Na de lo que tenemos nos sirve. ¿Por dónde comenzá?

La abuela había aparejado el oído y, como al mediodía, seguía la conversación sin meter baza.

—Hay que hilá muy delgao —dijo el Luiso.

—El problema es difícil —admitió Luciano—. Uno no tié na que reprocharse en apariencia y, sin embargo, lleva su parte de culpa en to lo que ocurre...

Bajando la voz, explicó que la honradez no bastaba. Yo, el Luiso, él mismo, éramos demasiado buenos. Cuando recibíamos un golpe nos habíamos acostumbrado a poner la otra mejilla. Únicamente la cólera podía salvarnos.

—No sé si me expreso bien —agregó.

La abuela movió la cabeza y dijo que no comprendía. Desde luego ella no sabía de la misa la media, pero toda la vida se había sacrificado para ganar el pan a los hijos. Siempre había procurado por el prójimo. Los pobres no llamaban en vano a su puerta.

—¿La cólera? —murmuró—. ¿Por qué la cólera?

Luciano se removía nerviosamente en la silla y dijo que los almerienses merecían su condición, puesto que la soportaban resignados. Él pensó también al comienzo que ser buen padre, y esposo, y amigo, era suficiente y había llegado a la conclusión de que la honradez no bastaba.

—Cuanto apechamos ahora es poco. Nos creemos a salvo y no lo estamos. Hemos de llevá las cosas más lejos.

El Luiso dijo que tenía razón. Los franceses de Grenoble eran responsables de la muerte de Juan como los almerienses de lo sucedido con Antonio. La culpa correspondía a todos (estas fueron sus palabras) y no correspondía a nadie. Y, de improviso, cuando nadie lo esperaba, la abuela empezó a llorar.

Fue algo tan brusco que, a la vista de las lágrimas que generosamente corrían por las mejillas, me costó establecer una relación entre el hecho físico y la causa de su tristeza. El hermoso rostro de la abuela no mostraba dolor ni sufrimiento alguno. A través de él, por el contrario, parecía transflorar una maravillosa serenidad; pero las lágrimas estaban allí, brillantes, incontenibles y ninguna mano caritativa osaba el ademán sacrílego de alargar un pañuelo y enjugarlas.

Yo pensaba todavía en La Chanca, en la sociedad de hombres desposeídos de La Chanca y el llanto mudo de la abuela me alcanzaba muy hondo. Había una fuerza inexplotada en nosotros, acaso una posibilidad de heroísmo. Luciano y el Luiso la habían descrito sin nombrarla. Se llamaba solidaridad.

Durante largo rato —en tanto que yo me volcaba en el

Albuñol— hablaron de Almería y sus hombres, y sus historias evocaban hambre e injusticia, miedo e injusticia, dolor e injusticia, muerte e injusticia —y Luciano bebía el vino con rabia y repetía: "Faltan árboles, ¿oís? Faltan árboles..."

Cuando me recobré, la abuela se secaba sus lágrimas torpemente y se volvió hacia mí.

—¿Se acuerda usté de aquellos franceses que subieron a vernos y retrataron a mis nietecicos?

Contemplé sus ojos azules, casi infantiles. La abuela miraba recto delante de ella y en su rostro había una nueva luz.

—Sí —dije.

—A veces una hace las cosas sin comprendé... Creo que si vinieran ahora les maldeciría.

13

La Chanca, al oscurecer, es una guarida de lobos. Las luces del alumbrado público se espacian peligrosamente a medida que uno trepa por la ladera y el silencio es tan fuerte, contiene en su interior tanta amenaza, que vibra y zumba en el aire, lo mismo que un sonido.

Aquella noche, la ventada tenía un eco lúgubre. La luna se había puesto tras los nublados y era preciso avanzar a tientas. El vino me había vencido completamente; de modo confuso, columbraba que las piernas no me querían obedecer. En mi cabeza bailaban los tres castigadores del Paseo y el hombre por cuyas venas corría la alegría, el llanto de la abuela y los titulares del diario. Las palabras de mi amigo me llegaban como a la sorda y me daba la impresión de haberlas inventado yo.

—Vitorino —dije—. ¿Me oyes?

—Sí —repuso.

—Almería ha perdido el sol. Ha perdido el aire.

—Sí.

—No quiero verla nunca más... Hay que conseguir que el aire vuelva, ¿comprendes?

Vitorino comprendía y me ayudó a meter en la cama. Se había sentado a mi lado y me miraba con una expresión vecina al amor.

—Duerme —dijo.

Le obedecí y, al despertar, despuntaba ya el alba. Vitorino no era otro que el Luiso y descubrí que no estaba en el hotel. Su mujer y él dormían profundamente por tierra y el sol de cada día comenzaba a teñir el cielo de La Chanca.

APÉNDICES

I

ALMERÍA EN ALGUNOS VIAJEROS POR ESPAÑA

"ALMERÍA fue la principal ciudad de los musulmanes en tiempo de los almorávides. Era entonces una ciudad muy industrial y se contaban en ella, entre otras, 800 telares para tejer sedas, fabricándose telas con los nombres de holla, dibaele, siklatón, alhispaeni, ulchorcheni, etc. Antes de la época actual alcanzó también Almería gran renombre por la fabricación de utensilios de cobre y de hierro, y de otros objetos. El valle que depende de ella producía una gran cantidad de frutos que se vendían a bajo precio. Este valle, que lleva el nombre de Pechina, se halla a cuatro millas de Almería. Veíanse allí numerosas huertas, jardines y molinos, y sus productos eran enviados a Almería. El puerto de esta ciudad recibía embarcaciones de Alejandría y de toda la Siria y no había en toda España gentes más ricas ni más dadas a la industria y al comercio que sus habitantes, como tampoco más inclinadas, ora al lujo y al derroche, ora al afán de atesorar.

Está edificada esta ciudad sobre dos colinas, separadas por un barranco o rambla donde hay también edificios habitables. En la primera de estas colinas está el Castillo, famoso por su fuerte posición; en la segunda, llamada Monte Lahamán está el suburbio; toda ella está rodeada de muros con multitud de fuertes.

Por el lado de Poniente está el gran arrabal, llamado arrabal del aljibe o depósito de agua, rodeado de murallas, que encierra en su interior un gran número de mercados, edificios, posadas y barcos. En suma; Almería es una ciudad muy importante, muy comercial —muy frecuentada por los viajeros; sus habitantes eran ricos, pagaban al contado más fácilmente que en ninguna otra ciudad española y poseían inmensos capitales. El número de posadas u hosterías registradas por la Administración para pagar el impuesto del vino se elevaba a mil menos treinta. En cuanto a los telares, ya hemos dicho que eran numerosos. El terreno sobre el cual está edificada la ciudad es muy pedregoso por todos lados: no lo forman sino rocas amontonadas y piedras agudas y duras; no hay tierra vegetal, como si se hubiese pasado por la criba este terreno con intención de no conservar de él sino las piedras. En la época en que escribíamos la presente obra, Almería ha caído en poder de los cristianos; * sus encantos han desaparecido; sus habitantes han sido reducidos a la esclavitud; las casas y los edificios públicos han sido destruidos, y ya nada subsiste de todo ello."

(MOHAMED-AL-ADRISI: *Descripción de España*. Año 1154.)

"La ciudad de Almería está amurallada y situada en la costa del mar Mediterráneo. Almería es la puerta de Oriente y la llave de la riqueza. Tiene terrenos argentíferos, un litoral aurífero que da pepitas de oro y un mar de color de esmeralda. Sus murallas son altas y su fortaleza, escarpada e inex-

* Se refiere a su conquista por Alfonso VII en 1147. En 1157 cae de nuevo en manos musulmanas hasta su ocupación definitiva por los Reyes Católicos.

pugnable. La temperatura es templada y en Almería se hacen labores de seda que sobrepujan a otras facturas. De sus jurisdicciones son la fortaleza de Pechina, a seis millas de la capital, la de Purchena y la de Xanás, las ciudades de Baga y la de Andarax. Pechina es de origen islamita y era la residencia del gobierno, pero después perdió su importancia, se engrandeció Almería y ha venido a estar bajo el dominio de ésta."

(Abulfeda: *Descripción de España*. Comienzos del siglo XIV.)

"El 18 de octubre, dos horas antes del alba, montamos a caballo y salimos de Tabernas. Andadas un par de leguas, nos amaneció en un risueño valle regado por un riachuelo, a cuyas orillas extiéndense frondosas huertas y verdes campos, dónde crecen la palmera, el olivo, el almendro, la higuera, haciéndonos la ilusión de que caminábamos por el Paraíso. Vimos un acueducto que lleva a la ciudad copioso caudal de agua, tomado de un manantial que brota a una milla de la población. A medida que nos acercábamos a Almería íbamos contemplando sus bellas huertas, sus murallas, sus baños, sus torres, sus acequias, todo ello hecho al estilo de los moros.*

Tiene Almería la forma de un triángulo y su muralla, infinidad de torres; pero por consecuencia de un terremoto que hubo después de la conquista, mucha parte de la ciudad está en ruinas y deshabitada; sus casas, que en otro tiempo pasaban de cinco mil, hoy no llegan a ochocientas, y por eso a cualquier forastero que desee avecindarse allí le dan gratis la vivienda, el huerto, la tierra de labor y los olivos, para que

* Cuando Münzer estuvo en la ciudad aún no hacía cinco años que era de los cristianos, puesto que se rindió a fines de diciembre de 1489.

pueda vivir holgadamente, con lo cual es seguro que ha de poblarse en breve.

La antigua mezquita, convertida en iglesia, es no sólo el mayor templo de Almería, sino también uno de los más bellos del reino de Granada. Antes de la guerra y del terremoto había en la ciudad grande afluencia de mercaderes, por causa de que en sus fábricas se elaboraban más de doscientos centenarios de seda, y así, con los donativos de aquellos y de otros fieles llegó a tener la mezquita riquezas fabulosas.

Almería dista 25 millas de la ciudad de Orán, el reino de Berbería; desde un alto promontorio que está a ocho leguas al oriente del puerto, llamado el cabo de Gata, vense en los días serenos las montañas de África; desde él a Berbería hay 20 millas, y en doce, dieciséis o veinte horas de navegación, según sea el viento, puede irse a Orán. Tremecén, en el continente africano, a 30 leguas de Orán, es población mayor que Valencia. Vimos en el puerto una nave con cargamento de higos, habas, arroz y otras vituallas fletadas para Orán, pues en toda aquella tierra es verdaderamente espantosa el hambre que padecen por consecuencia de una pertinaz sequía de tres años. Contáronnos que por entonces un genovés había llevado *de ocultis* trigo de Andalucía a Túnez y, comprando seda con el producto de la venta, obtuvo una inmensa ganancia; además, trajo a Granada trescientos moros de Túnez, a los que después obligó a regresar, exigiendo a cada uno de ellos una dobla por el pasaje.

Tres comunidades hay en la ciudad, a las que el rey ha dado decoroso alojamiento, juntamente con varias casas que fueron de los moros y feraces huertas con canales para el riego construidos a la morisca; y debe notarse que casi todas las viviendas de esta tierra tienen o pozos, o acequias de agua dulce, o piscinas de piedras, de yeso o de otras materias, porque los moros son, ciertamente, primorosos en tales construcciones.

En un huertecillo de esta casa vimos cinco o seis árboles de Egipto de los que producen el higo chumbo... Nunca creyera, a no haberlo visto con mis ojos, que tal árbol se daba en Europa; Pero se comprende que así sea, porque Almería es tierra vecina de África y en tan alto grado calurosa, que lo pasarían muy mal sus moradores si no fuera por las cañerías y acequias que toman el agua para el riego en los manantiales y en los ríos.

Encantadoras habían de ser aquellas huertas cuando estaban en poder de los moros, gentes tan hábiles en la horticultura y en el arte de conducir el agua, que quien no haya estado entre ellas no puede formarse cabal idea de su mucha industria."

(JERÓNIMO MÜNZER: *Viaje por España y Portugal, 1494-1495*. Madrid, 1951.)

"Llegó el marqués de los Vélez con su campo a la boca de Oria, que es un paso muy peligroso y estrecho: de allí pasó a Uleila de Purchena, y atravesando la sierra de Filabres vino a parar a Tabernas, que es un lugar grande, a cuatro leguas de Almería; á los moros deste lugar los monfis les habían hecho levantar por fuerza, y cuando el marqués llegó allí no pareció ninguno, antes todo el lugar estaba saqueado y medio quemado, y la iglesia destrozada y abrasada, que era cosa de grande compasión ver tan brava ruina.

Como los moros de Felix vieron que los de Almería se retiraban y tomaban la vuelta de Guecija, no quisieron seguirlos por recelo de alguna emboscada, y se mantuvieron quietos aguardando que llegase el marqués. Este estuvo en Guecija, algunos días recibiendo mucha gente armada que acudía a su socorro, y esperando cierta orden de su Majestad. Entre tanto salía su tropa y hacía grandes correrías por los lugares del río, robando y talando como tenía de costumbre; de lo cual se indignó mucho el marqués, y así mandó echar un bando para que ningún soldado saliese del real so pena de la vida.

...había hombres que hasta los gatos se traían, las calderas, cedazos, artesas, aspas, devanaderas, cencerros, asadores y otras bajezas semejantes, todo esto por no perder el uso de hurtar. No digo aquí señaladamente quiénes lo hacían, porque en común todos eran ladrones, y yo el primero; así es, que estas desordenadas codicias fuera causa posterior de muchas muertes de cristianos, como diremos más adelante.

A mi me ha parecido siempre reprehensible la impunidad destos malos cristianos, en quienes debieron hacerse con frecuencia ejemplares escarmientos, hasta estinguir aquella codicia desordenada del robo que poseía sus ánimos, y trajo a tantos á su perdición; pues no puede decirse sin vergüenza, que por ella murieron más de trece mil soldados, la flor de España, a manos de una cuadrilla despreciable, compuesta de enemigos desbragados y casi desarmados; y lo que hay más de maravillar es, que de cuanto robaban, apenas sacaron algún aprovechamiento, y todo se les convirtió en polvo y humo, siendo solamente efectivo el coste escandaloso que tuvo á su Majestad esta infame guerra, por culpa de algunos jefes descuidados o distraídos.

...Entre tanto el valeroso marqués de los Vélez estuvo en Felix, después de haber dado la sangrienta batalla, hasta los postreros días del mes de enero que mandó levantar el campo de allí, y que marchara la vuelta de un lugar llamado Chanez, sito al fin del río de Almería, hacia la parte de su nacimiento, muy pegado al principio de la nevada Sierra. El día siguiente á la salida del campo acudieron de aquellas montañas muchos de los moros que habían escapado de aquel riguroso trance de la batalla: unos buscando a sus mujeres, otros a sus hijos, otros a sus hermanos, parientes y amigos; mas no encontraron allí más que los huesos mondos de todos, roídos por los lobos, y aun los perros aquejados del hambre que apura a todos los vivientes. Los moros, horrorizados del grande estrago hecho por los cristianos, y al ver todo el lugar saqueado y quemado, y que no había quedado en él criatura viva, no pudieron dejar de prorrumpir en triste y doloroso llanto, torciéndose las manos y mesando las barbas y cabellos en fuerza del inmenso dolor. ¡Ay, hijos míos! decían unos; ¡ay, esposa mía! esclamaban otros, y todos llamaban en vano á todas las personas más allegadas que habían perdido. Hasta los perros andaban ahuyentados por aquellos campos sintiendo la falta de sus dueños, y acompañando con sus aúllos el lamento de los moros, sin atreverse a entrar en el lugar para reconocer sus casas. Y por cierto me parece que fue demasiada crueldad la que los cristianos ejercieron en Felix, degollando a todos los vivientes, incluso las criaturas de un año, bautizadas, y en quienes no podía recaer sospecha de culpa."

(GINÉS PÉREZ DE HITA: *Guerras Civiles de Granada*. Madrid, M. Rivadeneyra, 1858.)
(Parte II, Caps. IV, VI, IX, X.)

"Los [habitantes] de Baza, Huéscar, Guadix y el río Almanzora tomaron el camino de la Mancha, del reino de Toledo y Castilla la Vieja. Por mar transportaron a la región de Sevilla a los de Almería y de Tabernas.

Algún tiempo después, Felipe II se preocupó de repoblar las tierras abandonadas, que habían sido confiscadas en provecho de la Corona (24 de febrero de 1571). Se concedieron en enfiteusis a colonos reclutados en Galicia, Asturias, regiones de León y Burgos, a los que se trató de suministrar ganado e instrumentos agrícolas. Un organismo creado a este efecto, la Junta de Población, se encargó de esta difícil tarea. A vuelta de 12.500 familias reocuparon al parecer 270 de las 400 localidades abandonadas por los moriscos. Pero el éxito no debía coronar sus intenciones. Entre las tierras, muchas eran de calidad mediocre... Desanimados, numerosos colonos regresaron a su país de origen."

(HENRI LAPEYRE: *Géographie de l'Espagne Morisque*. París, 1959.)

"El día octavo de la Ascensión del Señor haviendo ohido Misa temprano salimos de la ciudad de Vera, encaminándonos a la de Almería que me dijeron distaba catorce leguas. Hicimos medio día en unas casucas que llaman las Huelgas, junto a un riachuelo que se intitula de la agua sin más nombre tres leguas de Vera.

Después de comer prosiguimos nuestros viaje y se nos puso el sol cuatro leguas de donde havíamos salido, y huvimos de hacer noche en un miserable ventorrillo que llaman Mermejo o Bermejo, porque ni antes ni después, ni en todo el camino desde Vera a Almería se encuentra población...

Viernes, 17. — Este día al amanecer tomamos nuestra ruta para esta ciudad de Almería, sin guía porque nos dijeron no ser necesaria. Mi ánimo era sestear en el camino, y para eso nos prevenimos de pescado y huevos; pero de nada nos sirvió porque anduvimos de cortijo en cortijo de algunos que hay inmediatos al camino, y en ninguno hallamos disposición, y muchos estaban cerrados o no tenían agua ni aún para bever los segadores tal es la sequía del año y falta de agua en todo este país.

Hoy ocupa esta ciudad (Almería) la falda de su Alcazaba o Castillo y la ciñe en derredor inmediatamente por su pié. En lo antiguo parece haver su sitio sido algo más desviado hacia la vega, esto es acia oriente en la ribera del mar. Vehense hoy las antiguas murallas y Torres y la mayor de todas que domina el antiguo puerto y sus dos muelles de que ahun quedan vestigios. Todo demuestra haver sido esta ciudad quando estuvo floreciente muy populosa, y como un emporio de la costa de Granada y de Murcia."

(FRANCISCO PÉREZ BAYER: *Relación de Viaje* [...] *en 1782*. Ms., pp. 66-79.)

"Durante nueve horas de camino no encontré un solo pueblo; únicamente algún ventorro...

La ciudad de Adra se compone de una única, larga y hermosa calle, bien edificada, que bordea el mar. Lo restante es un rimero de chozas que trepan por la colina; su aspecto es extraño. Esta parte de la ciudad es habitada exclusivamente por mineros, obreros de la fundición, gitanos, pescadores pobres. Todas las montañas que se divisan encierran grandes riquezas de plomo argentífero. Hay varias fundiciones dignas de visitarse, particularmente la del señor Heredia, que puso gran empeño en enseñármela. Es uno de los establecimientos más bellos y grandiosos que conozco. La exportación que hace esta casa de plomo en barras y laminado, en balas, en albayalde, es algo inmenso.

Encuentro el paisaje más desolado del mundo... Las montañas carecen de agua y de vegetación y, si no contuviesen riquezas minerales que dan trabajo a gran número de obreros, la miseria sería espantosa. Nada más triste a la vista que los habitantes de estas zonas; su color macilento, su excesiva delgadez, que los vestidos hechos jirones dejan ver por todos lados, resultan difíciles de soportar..."

(MADAME DE BRIKMANN: *Promenade en Espagne pendant les années 1849-1850.* Pp. 271-294 y 275. París, 1852.)

"La población de la provincia de Almería es agrícola o minera. Para comenzar, estas dos profesiones se reconocen por el modo de vestir de sus miembros. Mientras el labrador parece descendiente de los antiguos moros que conquistaron el país, cuyo vestido lleva aún, sin otra modificación que el sombrero español, símbolo del cristianismo, en substitución del turbante, símbolo del seguidor del Profeta, el minero no conserva, por el contrario en el vestir, ningún carácter particular.*

Sin embargo, obedeciendo a la gran ley de la oferta y la

* Un ejemplo de esta influencia musulmana en el vestir subsistió hasta hace pocos años en la villa de Mojácar, en las cercanías de Garrucha. Los únicos vestidos musulmanes que el autor ha visto durante sus peregrinajes por la provincia de Almería fueron los que el director de cine André Cayatte entregó a los habitantes de Tabernas al filmar los exteriores de *Oeil pour oeil* y que algunos tabernenses visten todavía ocasionalmente, cuatro años después de acabado el rodaje de la película.

demanda, estas dos categorías de trabajadores refluyen hacia otras según las circunstancias. Así, en la época de las cosechas, de junio a septiembre, gran parte de los obreros abandonan las minas y se desparraman por los campos, atraídos por la alza de la mano de obra. En invierno, por el contrario, el hambre les obliga a afluir de nuevo hacia las explotaciones, las cuales, en esta época, tienen que rehusar parte de los brazos que se presentan, tanto más cuanto esta abundancia de la mano de obra coincide con el alza de los fletes a causa de mal tiempo, lo que dificulta tanto la extracción como la realización de los minerales.

En resumen, los obreros abundan y pueden ser sustituidos de la noche a la mañana, la mano de obra está por los suelos y la miseria del país es grande. De este modo, los mineros se trasladan a menudo durante el invierno lejos de la provincia, a distancias considerables, al igual que los obreros de las provincicias más lejanas, singularmente de Extremadura, vienen a Almería durante la época de las cosechas... Estas emigraciones frecuentes de mina a mina, de provincia a provincia, han determinado a los explotadores a organizar el trabajo de tal modo que los obreros no pueden escaparles durante varios meses consecutivos y, la miseria que reina en los meses de invierno, les ha permitido alcanzar en parte este resultado.

Los mineros no reciben la paga de su trabajo semanalmente, ni siquiera por mes: el patrono la abona a la expiración de un período de alrededor de tres meses llamado *varada*. No obstante, como los obreros no podrían subsistir por su cuenta durante este largo período de tiempo, los patronos les avanzan en especie cantidades que luego deducen de su paga. De este modo, mediante una retención de tres reales diarios, les dan un alimento constituido principalmente por garbanzos y pimientos; asimismo les venden vestidos y otros objetos de uso personal. Se comprende fácilmente que los beneficios accesorios que resultan de tales suministros son tanto más elevados cuanto el obrero está obligado a comprar todo a su patrono, ya que es el único que consiente en venderle a crédito.

Llega la época de la varada, es decir, de la paga, que corresponde siempre a una gran fiesta religiosa, como Navidad, Pascua, la Asunción y cada obrero cobra el salario que se le debe. Este sistema ofrece la ventaja de asegurar a los trabajadores una posición estable durante varios meses consecutivos; pero presenta el inmenso inconveniente de poner de golpe a su disposición, y precisamente en época de distracciones, una suma bastante importante. El dinero desaparece con rapidez y, después de una ausencia de ocho días, los mineros vuelven a la obra tan pobres como antes. Entonces recomienzan su período de tres meses de trabajo asiduo, durante el cual no habrá ningún día de reposo, ni siquiera el domingo.

Este sistema ofrece al explotador numerosas ventajas, tales como disponer del obrero durante toda la duración de la varada, de realizar a sus expensas un comercio lucrativo; en fin, de poder operar con un capital más restringido, puesto que una parte de la producción de la mina puede realizarse antes de pagar a los obreros que la han extraído.

...El índice de los salarios se rige por dos elementos: la cifra de la población de un país y la importancia del trabajo que se realiza en él cotidianamente.

Como uno puede comprender, resulta imposible determinar con exactitud la población de la provincia de Almería: los mejores autores difieren entre sí en más de un sexto; creemos no obstante que, si la fijásemos en 315.000 individuos nos alejaríamos poco de la verdad.

...A pesar de la escasez de la población, los brazos abundan en relación a la posibilidad de trabajo. Cosa lógica si se tiene en cuenta que la región no posee otra industria que las minas, la agricultura está en pañales y el comercio es nulo o, cuando menos, es exclusivamente marítimo, y está acaparado completamente por los pabellones extranjeros.

Esta situación, como es sabido, ha provocado una emigración muy fuerte de la población de esta parte de España a la provincia de Orán. Se calcula en 40.000 ó 50.000 individuos, el número de españoles, casi todos originarios de las costas del sudeste de la Península, que habitan la porción más occidental de nuestras posesiones argelinas, en donde forman un núcleo de población europea de rara energía y gran asiduidad en el trabajo...

En la provincia de Almería, la jornada de un simple peón puede estimarse en alrededor de 6 reales, de los cuales hay 3 que gasta para alimentarse y 3 que cobrará en el momento de la varada. Estas cifras se refieren al invierno pues, a fines de mayo, los obreros comienzan a escasear y no vuelven a abundar hasta finales de agosto. Durante este período hay un alza incontestable, pero su importancia es difícil de medir. Si del simple peón nos elevamos a los mineros o a los que cultivan la tierra o funden el plomo, encontraremos sueldos más fructuosos, aunque siempre de un nivel muy bajo.

...Podemos dar no obstante algunas cifras de estas empresas, que son eminentemente variables. Así, en una de las minas de hierro de Terreros, cuya mena, bastante fiable, puede desmenuzarse a pico, hemos visto pagar en invierno solamente de 8 reales por tonelada entregada en la boca de la mina; para transportar esta mena a la playa, distante de dos kilómetros, por terreno llano, 9 reales y medio; en fin, por cargar las barcas, conducirlas a los buques en rada y por el alquiler de dichas barcas, 5 a 6 reales. Estos precios aumentaban sensiblemente en la época de la cosecha. Las explotaciones de la Sierra de Védar, situadas a ocho kilómetros del puerto de Garrucha, no pagaban menos de 35 ó 36 reales para enviar a la costa una tonelada de sus productos. En Ferreila, en donde la mena rocosa no puede desmenuzarse sin pólvora, la extracción costaba, en la época en que visitamos la explotación, a la vuelta de 15 o 17 reales la tonelada. El descenso de la cima de la montaña de una altura de 80 metros, a la playa, salía a 3 reales.

Los embarcadores de tierra, cuya tarea consiste en pesar el mineral y portearlo a las barcas, ganaban de 80 a 90 reales por 50 toneladas, es decir, de 1 real 60 a 1 real 80 por tonelada. En fin, los pescadores que maniobran las barcas eran pagados a razón de 2 reales y medio por cada tonelada; pero por una excepción digna de señalarse, estas dos categorías de trabajadores han rehusado siempre la varada y cobran por mes. Los marítimos, sin embargo, son bastante fáciles de manejar; el tiempo que no están al servicio de las minas, lo consagran a la pesca y atienden así a sus necesidades, pero los embarcadores de tierra tienen un carácter indomable.

La zona costera y algunas poblaciones suministran casi exclusivamente, y tienen como el monopolio, de esta raza de hombres. Es difícil, por lo demás, concebir oficio más duro, y sólo una larga práctica puede endurecer al obrero para soportarlo. Con las piernas enteramente desnudas, el resto del cuerpo apenas cubierto, estos hombres parecen verdaderos salvajes. Su energía es inimaginable; todo el día, porteando cargas pesadas de minerales, corriendo sobre la playa ardiente, sumergiéndose en el agua hasta la cintura, mientras que el resto del cuerpo soporta los ardores del sol, parecen ignorar la fatiga; y, cuando descansan a la hora de comer, apenas se toman la molestia de buscar un lugar al abrigo del sol para tenderse unos instantes. Así cuando se declaran en huelga —lo que indefectiblemente ocurre cuando numerosos buques aguardan su cargamento—, resulta imposible remplazarlos. Los mineros no resisten ni veinticuatro horas un trabajo tan duro. Los embarcadores conocen su fuerza e imponen la ley siempre en estas circunstancias. Puede decirse que son los únicos obreros de esta parte de España que sean literalmente intratables...*

...Si de la organización del trabajo y el índice de los salarios pasamos al examen de las costumbres, encontraremos igualmente observaciones dignas de interés.

Si quisiéramos juzgar con el mismo patrón los obreros del sur de España y los de los países más avanzados de Europa, incurriríamos en grandes errores. Los trabajadores de la provincia de Almería desconocen, en efecto, las tendencias y aspiraciones de los de nuestro país. Ignoran el valor de la palabra democracia, no saben qué se entiende por socialismo y comunismo; a decir verdad, aun aquellos que trabajan todo el año en las minas, continúan siendo campesinos. Si a consecuencia del sorteo entran en quintas, parten a servir al rey, no a su país, expresión que carece de sentido para ellos; por esto respetan la autoridad. Sin embargo, su carácter es siempre orgulloso, y aun estando en la mayor miseria, no son nunca serviles ni obsequiosos.

La vida de estas poblaciones es lo más rústico que uno pueda imaginar. La índole del clima, la organización del tra-

* Los cargadores existen todavía en la costa levantina de Almería. El autor los vio esportear piedra en la playa de la Mesa y esparto en la de Carboneras. Cien años después de la visita de Casimir Delamarre, la exactitud de la descripción sobrecoge. Una única novedad: ahora no se les permite hacer huelga y no pueden, por tanto, imponer la ley. Hoy el sueldo base es de 35 pesetas.

bajo antes expuesta, y la ausencia de ninguna necesidad realmente imperiosa, les dispensa por otra parte de toda previsión. Someramente vestido, sobrio en su alimentación, durmiendo al sereno o en una simple cabaña, uno se pregunta en qué puede gastar el obrero el salario que gana, por módico que sea.* Como es fácil suponer, las tinieblas de la ignorancia más profunda envuelven su inteligencia.

Pero los defectos de este pueblo pesan tanto como sus cualidades. Vivo, arrebatado, por una nadería el obrero saca la navaja del bolsillo. Por esto es difícil de manejar y, cuando se le quiere despedir de una explotación o reducirle el salario, provoca violentos altercados e, incluso, riñas sangrientas.

...Ahora que hemos visto el carácter de la población, nos detendremos a examinar un instante a los que sobresalen de la masa. La clase superior se compone naturalmente de latifundistas, concesionarios de minas importantes, algunos comerciantes y todas aquellas personas que, por una razón u otra, dependen del gobierno.

La índole de estas personas varía enormemente: así, en la ciudad de Almería uno puede encontrar verdaderos *gentlemen*; en el interior, por el contrario, mucha gente muy rica, incluso la que ejerce una profesión liberal, permanece sumida en una profunda ignorancia. Los ejemplos de esta ignorancia abundan y son tan cómicos a veces, que quizá alguno dudaría de su veracidad si los contara.** El personal médico, en el campo, recuerda involuntariamente, entre otras cosas, los relatos de *Gil Blas.*

* "¿Sobrios los españoles? —refiere una anécdota atribuida a Cánovas—. Póngales delante un plato de carne y verán."

** El autor podría contar historias igualmente sabrosas. En cuanto a los *gentlemen* de que habla Delamarre, debo confesar que no los he visto por ningún lado.

La influencia depende por entero de la fortuna territorial, La igualdad entre los ciudadanos, proclamada por la ley, no ha penetrado aún en las costumbres y el pueblo de la provincia de Almería continúa sometido al capricho de un corto número de individuos que, por su riqueza o sus arrimos en Madrid, son los verdaderos amos del país. La inspiración popular ha dado en España el nombre de *cacique* a esta categoría de personas. Son, en efecto, verdaderos caciques, jefes absolutos del sitio en que residen, que nombran, a su voluntad, el alcalde, que es siempre de condición inferior; el juez de paz (hay uno por término o municipio); los empleados del gobierno, si los hay en el lugar. En fin, cuando su personalidad es aún mayor, designan el administrador de aduana del distrito y el juez único que, en la cabeza de partido, constituye por sí solo el tribunal de primera instancia. Estas influencias están tan bien sentadas que, en la provincia de Almería, son superiores a los partidos que gobiernan España y son estos últimos, al contrario, quienes componen con ellas.

Basta dar una simple ojeada para ver que la autoridad preponderante ejercida por estos propietarios ricos dispone de la justicia, las aduanas y los empleos, y así se concibe que nadie pueda plantarles cara. Si no fuera por el carácter indomable de la población y la paña y son éstos, al contrario, quienes componen con ellas.

...Si, dejando el tema —respecto al cual estimamos conveniente no detenernos más—, queremos dar una ojeada sucinta a la organización de la justicia, nos veremos obligados aun a una prudente reserva.

Pero no nos mostremos excesivamente severos con estos magistrados de los distritos más atrasados de España. Pocas situaciones existen, en efecto, tan difíciles como la suya. Obligados a juzgar las causas de aquellos que, por su influencia, son dueños de su posición y su destino, ¿cómo podríamos garantizar su independencia si tenemos en cuenta sobre todo, que sólo hay un juez por tribunal y que este juez no es inamovible?

Lo que sí podemos decir es que, en términos generales, el sentimiento de justicia no ha penetrado aún en el espíritu de las poblaciones de que nos ocupamos. Sin embargo, no recurren ya a la fuerza como antes, lo que constituye ya un primer índice de progreso y, si se produce una injusticia es, a lo menos, en nombre de la legalidad. Por otra parte, sea cual sea el juicio, se ejecuta siempre, pues a nadie le viene a las mientes la idea de resistir al derecho reconocido por la justicia, aun en el caso de que mediara error. En resumen, la fuerza ha sido sustituida por la ley; pero la justicia no reina todavía.

...Si ahora queremos resumir el conjunto de nuestras observaciones respecto a la provincia de Almería, señalaremos que la naturaleza ha dotado a este país de grandes riquezas agrícolas y mineras y que, de otro lado, la población posee elementos de energía y aptitud necesarios para sacar partido de ellas. Pero, por el momento, estas riquezas naturales son en parte estériles, porque la población no está lo suficientemente avanzada para cultivarlas como merecen. La causa de este atraso, tanto en el orden material como en el moral, proviene evidentemente del aislamiento, que engendra a su vez, la ignorancia. Hacer desaparecer este aislamiento, combatir esta ignorancia, deben ser los objetivos de cualquier gobierno preocupado de regenerar su país. El aislamiento desaparecerá por la creación de vías de comunicación que desenvolverán las relaciones comerciales; la ignorancia, por el contacto con los pueblos vecinos —lo que originará, en consecuencia, el nacimiento de nuevos vínculos— y, también, por la construcción de escuelas elementales destinadas a la enseñanza de las primeras materias y que, a su vez, infundirán el deseo de saber más.

En fin, una última reforma podría consistir en que el gobierno asegurarse la completa independencia de sus funcionarios, con lo que rendiría un servicio inmenso a la moralidad pública.

En resumen, mucho —por no decir todo— está por hacer. Pero, ¿acaso es una razón para que no se intente nada? —Antes al contrario, me parece un motivo para comenzar sin demora y para proseguir con perseverancia y energía la obra una vez emprendida.

Esperamos que pronto despuntará para España un nuevo día que llevará hasta sus provincias más atrasadas los frutos de la civilización que, desde hace ya algunos años, medra en sus centros más populosos y en algunas zonas de las provincias del norte."

(CASIMIR DELAMARRE: *La province d'Almeria économique et sociale.* París, 1867.)

"Un marinero está cantando en la proa del buque. Su canto me hace pensar en la existencia de esta pobre gente, y recuerdo la copla que dice:

¡Con qué pena vivirá
la mujer del marinero,
que al pie del palo mayor
tiene pagado su entierro!

Para poder apreciar toda la ternura de estos versos, es preciso haber caminado sobre la superficie de los mares y haber sufrido los rigores del terrible elemento.

Compadezcamos al destino humano, bien triste en verdad, puesto que en todos sus estados merece compasión, porque todos son una cadena de tormentos.

Gracioso y variado es el paisaje que desde el puerto se presenta a mi vista.

Al principio del muelle, que es magnífico, y formando un ángulo con él, empieza la ciudad a extenderse en dirección a Levante, a la orilla de una ancha playa, donde las olas murmuran eternamente. Detrás del muelle hay unas canteras que proporcionan las piedras para las construcciones.

A la izquierda, o sea hacia el lado de Poniente, avanza una roca, en cuya cima está el castillo de San Telmo; y por las laderas vecinas suben, como las venas de un monstruo, numerosas bóvedas de ladrillo terminadas por chimeneas que pertenecen a las fundiciones de plomo.

Sobre otro monte revestido de chumberas, aparece la Alcazaba cobijando a la ciudad que se agrupa a sus pies, y en las inmediaciones del cerro ocupado por la fortaleza, se hallan esparcidos algunos trozos del muro de circunvalación y varias torres en mal estado, pertenecientes a las mismas murallas, que van desapareciendo para dar lugar a nuevas y elegantes habitaciones.

A la espalda de la Alcazaba se destaca el cerro de San Cristóbal bordado de torres y murallas muy bien conservadas.

La ciudad se eleva un poco hacia el centro, y luego desciende hasta formar una línea de edificios que, disminuyendo más lejos, concluyen en casitas aisladas.

Una franja de color verde oscuro indica la vega, y en segundo término cierra el cuadro la cadena de montes que corriendo a Levante, forma el cabo de Gata o Promontorio Charidema de la antigüedad, conocido más tarde con el nombre de cabo de Ágata por la mucha abundancia de esta piedra que producían aquellos lugares.

En Almería no hay tejados. Las casas están coronadas de terrados o azoteas y las torrecillas en que terminan las escaleras que conducen a éstos van surmontadas de cúpulas, lo que presta al conjunto el aspecto de una ciudad africana. Añadid que el color blanco se halla esparcido en la mayor parte de los edificios, y la semejanza es completa.

La riqueza de las minas, principal y poderoso elemento de la vida de este país, se observa en la tendencia a hermosear la población, y es notable la rapidez con que se suceden las construcciones.

La muralla desaparece; calles nuevas formadas por lindísimas casas bajas (son raras las que tienen dos pisos), se levantan como por encanto; otros paseos reemplazan a los antiguos, y todo eso en poco tiempo y sin ruido ni molestia.

El interior de Almería es alegre. No se encuentra en su seno, según he dicho, monumentos arrogantes, ni anchas calles, ni soberbios edificios. La población es pequeña. Le falta ruido, movimiento, animación; y sin embargo, ni su silencio entristece, ni su tranquilidad hace echar de menos el bullicio de otras capitales.

Pero sobre todas estas bellezas tiene Almería títulos que la hacen acreedora a especial mención: el carácter afable de sus hijos y su amabilidad y finura para el forastero; y en cuanto a la clase inferior de la sociedad, las costumbres son tan morigeradas, que verdaderamente admiran la paz, el orden y las buenas inclinaciones de una gente que por lo común carece de instrucción, y si la posee es incompleta y poco sólida.

Aún falta otra cosa. Las mujeres de Almería son hermosísimas.

No quiero detenerme en este asunto, pues cuanto hablara sería poco. Me contentaré con admirarlas y diré solamente: ¡Dios las bendiga!"

(AUGUSTO JEREZ PERCHET: *Impresiones del viaje: Andalucía, El Riff, Valencia, Mallorca.* Págs. 104, 105-106, 107-108, 109. Málaga, Correo de Andalucía [s. a.].)

"El siguiente estado nos pondrá de relieve el de la instrucción en esta provincia durante el año 1865:

VARONES

Saben leer y no escribir	3.283
Saben leer y escribir	23.878
No saben leer ni escribir	125.600

HEMBRAS

Saben leer y no escribir	3.596
Saben leer y escribir	7.096
No saben leer ni escribir	151.997

O sea un total de 277.597 personas que carecen de toda instrucción, dato que revela lo urgente que es en esta provincia propagar la enseñanza para disminuir la cifra enorme de los que allí carecen hasta de las más preciosas nociones de cultura."

(ENRIQUE SANTOYO: *Crónica de la provincia de Almería.* Págs. 16-18. Madrid, 1869.)

"En una familia de *andaluces* de Almería todos trabajan, desde el anciano que por su mucha edad necesita alivio y descanso, hasta el niño que apenas sabe hablar y moverse; lo mismo trabaja el hombre sano que el enfermo, el que tiene todos sus remos completos que el defectuoso, lo mismo el hombre, que la mujer. Para todos hay una ocupación en relación con sus fuerzas." "*Ratoneras*, palabra vulgar con que se denomina esta clase de trabajos, es la definición o descripción más concisa y más gráfica que de ellos puede hacerse. Imagínese una madriguera de ratones o de conejos y se tendrá idea de lo que son los trabajos de *andaluces*. Labores de dimensiones raquíticas, tortuosas, irregulares en su forma y disposición, pero siempre en seguimiento de la *vetilla*, son las únicas que saben hacer..." "Con el *martillo*, dos *espuertas* y un *garbillo* tienen todos los útiles necesarios para encontrar la riqueza del mineral hasta el punto conveniente."

(MALO DE MOLINA: "Paseo minero a la Sierra de Cartagena". Revista *Cartagena Ilustrada*, 8 de noviembre de 1871.)

II
DOS TESTIMONIOS SOBRE *LA CHANCA*

"Pocos kilómetros más abajo de Guadix, casi desde Guadix mismo, ya está presente este paisaje, tremendo y abrasado. Hace falta verlo. Ni las palabras, ni las imágenes fotográficas bastan. Tierra hendida, quemada, seca, desértica, hostil al hombre. Ni un árbol. Tierra hostil a la lluvia. No llueve. Hace meses que no llueve. Y cuando lo hace, es torrente diluvial y violento, que erosiona aún más las montañas y empuja toneladas de piedra y de barro arenoso vaguadas abajo. Agua iracunda que aplasta las cuevas y sacude la fibra de los hombres.

La tierra, se ve, no es mala del todo. En alguna pequeña hondonada hay hierba, bosques de pitas o de chumberas. Y una casita de adobe, pintada rabiosamente de cal. No hace demasiado tiempo, un director francés —André Cayatte— necesitó un paisaje sahariano para un "film": *Ojo por ojo*. Lo encontró en los llanos de Tabernas. Pero hubiese podido rodar aquellas escenas en cualquiera de estos parajes que se ven desde el tren, camino de Almería. África es esto. Está aquí. La sed ahuyenta a los hombres pavorosamente. El hombre es un fantasma que se levanta tras estas colinas de arenas, donde una brizna de hierba es un hallazgo. En 1900 Almería —provincia— tenía 359.000 habitantes. En 1940 tenía la misma población. En 1950, 357.000 habitantes. Con la natalidad altísima. El índice vital de España en 1952 —diferencia entre el porcentaje de natalidad y el de mortalidad— fue 11,11 por cien. El de Almería, el 16,76. Mientras España, en general, ha aumentado su población en estos cincuenta años con un 50,46 por 100, la de Almería ha descendido en un 0,46 por 100. La población actual de Almería, según los expertos, debería ser de 550.000 habitantes. En el mismo período a que nos referimos, 1900-1950, más de doscientos mil almerienses —exactamente, 207.344— han debido emigrar. Algunas zonas aparecen gravemente afectadas desde este punto de vista; la de Cuevas de Almanzora, por ejemplo, que ha perdido 27.000 habitantes; Tabernas, 5.000; Sorbas, 5.700; Fiñana, 4.700... Casi toda esa gran masa emigrante se ha dirigido a otras regiones de España; cerca de 70.000 almerienses hay en Barcelona.

El trabajador andaluz —me decía hace poco un industrial barcelonés —es el mejor de España.

Qué remedio les queda. Hay que trabajar, porque en Almería no hay en qué. El paro estacional registrado como media durante los seis años últimos ha sido de 16.163 hombres. He aquí la diferencia "per capita": Guipúzcoa (máxima de España), 22.777 pesetas; Almería, 5.998 pesetas...

Los almerienses también emigran al extranjero. La emigración se realiza casi siempre desde determinados pueblos a determinados países. Por ejemplo, los de Lubrín intentan ir a Estados Unidos; los de Adra, a Cuba y Argentina; los de Cantoria, a Argentina; los de Albox, a Grenoble, ciudad en uno de cuyos suburbios hay tres mil almerienses del citado pueblo. Con la emigración interior ocurre otro tanto. Los de Oria van a Reus y Alcoy; los de Canjáyar, Illar, Rágol e Instinción, van a Tarrasa...

Pero, ¿qué quieren ustedes?, el hombre se impresiona poco ante las cifras. Tiene que verlas. Sentirlas, carne y sangre, y barro, y agua, y sufrimiento. Por eso estoy aquí, en La Chanca, esa montaña espantosa —una ladera de la sierra de Gádor—, en la que se hacinan cerca de 20.000 personas. (Almería, ciudad, tenía 80.000 habitantes en 1958. De ellos hay 10.000 pobres "extremos" y 17.179 pobres "necesitados", lo que suma un porcentaje de un 34 por 100 de pobres en la ciudad.)

"¡Qué arquitectura tan interesante!", dicen los turistas, mientras sacan la *Contax* o la *Leica* para fotografiar la bárbara arquitectura de La Chanca. Interesante. Sí. Un barrio con 943 cuevas y 1.600 chabolas, más algunas casitas, donde habitan 19.000 habitantes —parroquia de San Roque, una parroquia en el infierno—, de los que 11.000 son necesitados. Ninguna de estas viviendas tiene retrete. No hay centro médico. No vive ningún médico en La Chanca. No hay serenos nocturnos. No hay lavadero público —sólo tres, particulares, en los que hay que pagar un real por kilo de ropa—, ni fuentes, ni centro de reunión. No hay oficina de Correos ni, en gran parte de la zona, electricidad. Ni mercado; sólo un zoco al aire libre.

Las cuevas no son como las de Guadix, una modalidad curiosa de la habitación, en la que a veces viven gentes muy acomodadas. Aquí todo es infrahumano. En una sola cavidad viven tres matrimonios jóvenes. En el Covarrón —un agujero que empezó a hacer la Campsa, en la guerra, para esconder el petróleo de los cañonazos nacionales— suelen juntarse hasta nueve familias: cincuenta y tres personas. Hay más de doscientas uniones ilícitas. El 85 por 100 de los niños del Reformatorio Provincial lo dan estos suburbios. Los mozos son analfabetos en un 70 por 100.

Interesante. A los visitantes se les enseña La Chanca. Se procura, a veces, que no suban por las "calles" arriba. Prostitución, alcoholismo, delincuencia juvenil, tracoma, lepra, demencia, tuberculosis... He visto, personalmente, varios casos de cada una de estas enfermedades sociales.

¡Y lo que cuesta ser pobre! Los cobradores de ventas a plazos cargan, a veces, un 14 por 100 de intereses. Hay sociedad que cobra un 10 por 100 de interés... al semestre. Más el 20 o 25 de ganancia comercial. Casi dos mil de esas familias viven del mar. De lo que se pesca, se hace dos "montes": 50 por 100 para el armador y 50 por 100 para los pescadores. De este último "monte" hay que quitar un 20 por 100 para el patrón y gastos. Lo que queda a veces, tras dos semanas de ausencia: unas 2.000 pesetas escasas por hombre.

La Chanca. Las cuevas y las chabolas parecen subir, ladera arriba, una montaña ocre, salina. Enfrente, el mar. Aquí el paisaje es pura geología. Los niños rondan el puerto, la Pescadería, la Barranquilla. Van a lo que caiga. Un pescado "birlado" del cajón, restos, lo que sea. Para mucha gente esto es una postal. Pero hay un sordo rumor de vidas humanas miserables, clamando hacia los cielos.

Yo mismo lo he visto. A Cristo. Vive en La Chanca y se multiplica milagrosamente en 19.000 personas. En los gitanillos que bailan, tripudos y hambrientos. En la muchacha de vestido en jirones y colorete en las mejillas. En los viejos, cansados, al sol. En los hombres jóvenes, sin trabajo. En las mujeres que alborotan en los lavaderos.

He subido a la Alcazaba. Entre los viejos muros nace un jardín. Aquí se celebran los festivales, en verano, y se obsequia a los marinos extranjeros cuyos buques tocan el puerto. Sólo hay que dar media vuelta. Mirar hacia el flanco derecho de la Alcazaba. Y allí, agazapada, doliente, espantosa, está

La Chanca. El Consejo Económico Sindical, celebrado en Almería en 1959, pidió con urgencia mil viviendas para estas gentes. El obispo ha adquirido 230.000 metros cuadrados para hacer viviendas... cuando consiga encontrar medios.

—Pintoresco...

Se oye esta palabra y se le revuelve el estómago a uno. ¡La Chanca, Dios mío!"

(José María Pérez Lozano: "Una parroquia en el Infierno". Revista *Incunable*, Salamanca, septiembre de 1960.)

El periódico madrileño "Pueblo", siempre a la avanzada de la verdad, publica con fecha de 26 de octubre de 1961 el artículo que reproducimos a continuación, para guía e ilustración del lector:

La Chanca. *El más pintoresco barrio de pescadores del mundo.* — Me gusta la Chanca. No ha visto el periodista lo que vio algún hombre de mala fe —que mojó la pluma en el tintero del desprecio— en este barrio, una lacra social. No he visto por ningún lado esa casta infrahumana que dicen que vive horadando la montaña.

Bien es verdad que en todos los sitios cuecen habas, pero no aquí, donde las casas son limpias como los chorros del oro, donde las paredes restallan al sol, donde en los gabinetes hay radios y mecedoras, donde las puertas están regadas con un cántaro de agua fresca y donde en las calles, sobre la misma piel virgen de la tierra, juegan los niños a moros y cristianos, a guardias y ladrones, como juegan todos los niños del mundo.

Bien es verdad, también, que mucho queda por hacer en La Chanca. Mucho y a marchas forzadas, pero tampoco es ya momento de rasgarse las vestiduras. Porque aquí, en este pueblo, en este barrio tendido a la sombra de la Alcazaba, hay una ancha población de pescadores, y los pescadores, mientras no se demuestre lo contrario, son —con los de la montaña— las más nobles gentes del mundo.

La Chanca es un prodigio. La máquina fotográfica encuentra el milagro del contraluz en cualquier esquina. Por aquí muchas mañanas viene Perceval con su "rolly" al hombro y su trípode bajo el brazo. También cualquiera de los artistas indalianos, que han bebido en estas fuentes de espléndido color, han enraizado aquí sus más populares y definitivas creaciones.

La Chanca nunca tiene las puertas cerradas. Es esta una gente hospitalaria, marinera, salobre, salitrosa. Es esta una gente tierna y dura, poética y analfabeta, hermosa y huraña, todavía sin descubrir. Aquí se secan las redes a pleno sol y se tensan las maromas de las artes de pescar, y se endereza el hilo de la rueca, que manejan los hombres con el cigarro negro en los labios y los pies descalzos.

Manuel Pimentel, escritor de fina médula literaria, reja honda en la labrantía de los temas sociales, hombre de Almería, que todos los años se va hasta su casita del campo de Tabernas para escribir de cara a la noche, con unos ponches bien cargados y un paquete de cigarrillos, me ha confesado:

—En La Chanca no hay indeseables. Y si alguien ha ensuciado en algo el barrio han sido los gitanos, que han venido de otras tierras al calor del sol, al aire de un invierno templado.

La Chanca se llama así porque el nombre tiene la raíz etimológica de los viejos almacenes de almadraba, lugar donde se reúnen las artes de pesca y los aparejos de mar.

—Aquí estuvieron en su primitivo momento las cuevas de los familiares de la soldadesca que protegía la Alcazaba.

La historia de La Chanca cambió de perfil. Durante la guerra civil española cientos de familias corrieron a esconderse de las bombas en esta montaña, abierta por mil heridas, hasta donde no llegaban los impactos de la metralla que caía sobre la Campsa.

—A los pescadores, después, les resultaba muy cómodo vivir aquí, en este barrio, porque tienen el mar a un paso y pueden ver, como quien dice, sus barcas, con sólo aparecer en la puerta de sus casas.

Luces violentas, blancos centelleantes, verdes y azules, rojos y violetas. El vaho húmedo de la tierra, siempre recién regada. Aceras de porland ante algunas edificaciones. La radio en todos los hogares. Máquinas de coser. Bordan unas mujeres sobre el fino cañamazo una aurora boreal de flores y de pájaros. Las muchachas de tierra adentro, en cambio, tejen en sus enaguas barcos y caracolas. Es el deseo de lo desconocido.

—Las cuevas son tan grandes como nosotros queremos. Tenemos la oportunidad de hacer de nuestras casas auténticos palacios. Abrimos cuantas habitaciones necesitamos.

Gatos negros. Brillan sus ojos redondos, submarinos, sobre el guapo olor del pescado fresco. Esta es una estampa impresionista. Sorolla se habría vuelto loco ante esta litografía del Perceval indaliano. A la puerta de tres cuevas, un letrero en negro: "Se vende."

—Mire usted, señor. Estas cuevas son frescas en el verano y templadas en el invierno.

Mujeres de ancas poderosas. Frágiles cinturas y recias piernas. Mujeres marineras, con ojos de alga. Grande la boca, perfil exacto, manos en el aire al hablar. Rondadores de Almería vienen hasta La Chanca todos los atardeceres para llevarse sus novias al quiosco de las almejas que hay en el puerto, o a la puerta de Purchena a tomarse un ponche o una cerveza con gambas a la plancha.

—¿Y Silva? ¿Y el almirante?

—Silva no sabemos dónde está. El almirante lo ha llevado a la Casa de los Locos.

El almirante, un fuera de serie. Ha instalado su casita blanca frente al mar, en el sitio más bajo de La Chanca, allí, donde a veces llegan las olas en día de rebaba, entre los vientres de los barcos color naranja, que se construyen de artesanía, a mano, todavía en el puerto. El almirante tiene su casita llena de latas y de brújulas, de rosas de los vientos y de señaladores de mareas. Veletas y canalones. Se hacía llamar el almirante de estas costas, y tal vez lo encerraron porque estaba dispuesto a fletar un barco con destino a alguna isla inconquistada del Peloponeso.

Piedra pómez. Monte ocre. Azules. Rojos. "Los colores más violentos, para distinguir una casa de la otra." "Aunque a veces, les falte para pan, ellos llenan de cal las fachadas de sus cuevas."

Escuelas, colegios. Un letrero anunciando la ayuda de Cáritas. Mucha mala literatura es lo que tiene La Chanca de Almería. Mucho Goytisolo. ¿Dónde está la mancha de la rosa?

Algunos cuentan que siempre que hay casorio en La Chanca, siguen el romántico y brutal procedimiento de los gitanos de Lorca, de los de bocadillitos de nardo y marineros de Cádiz. La sangre en las cuatro esquinas del pañuelo. "La mancha de la rosa."

No hay un solo grito, ni uno, en la boda. Si acaso, el de

los niños alrededor de la bata blanca de la novia, y de los ojos radiantes del nuevo dueño de la casa. Una cueva algo más arriba y a trepar hasta ella. Eso es todo.

Bajamos hasta la ancha avenida de las palmeras que bordean el mar, allí donde se apilan los barriles de uva que, tal vez, esta misma mañana habrán de embarcarse para la India.

La Chanca está espléndida, en su alto pedestal. Pasan unos niños de la mano de su madre, con un pequeño farol marinero en los brazos. Son dorados, rubios como el oro. Tienen unos hermosos ojos añiles.

Tal vez en esta mirada limpia esté bien claro el horizonte de este barrio de pescadores que vuelve locos los fotómetros de los más avispados reporteros del mundo: "Éste es uno de los más luminosos rincones de la tierra."

Porque esta generación ya ha desterrado, casi totalmente, la dramática maldición del tracoma."

III
DOCUMENTOS

1

POBLACIÓN DE ALMERÍA

1595 (Primer año que se tienen noticias verídicas)	115.896
1790	177.247
1864	315.450
1900	359.000
1950	357.000
1961	355.201

2

Como prueba de esa general incidencia en la proclamación de unos principios básicos, creo conveniente añadir ahora los tres apartados contenidos en la comunicación que, bajo el título de *El derecho a emigrar*, presentó don Arturo Núñez-Samper, miembro de la representación sindical:

"1. El derecho a emigrar es un derecho natural derivado de la libre personalidad del hombre.

2. Este derecho no puede tener más limitaciones que

aquellas que sirvan para garantizar su libre ejercicio, sin perjuicio para el derecho de los demás. Para ellos el Estado ejercerá el oportuno control de los emigrantes, establecerá medidas de protección de los mismos, tanto en su propio territorio nacional como en el extranjero, a través de los oportunos convenios o tratado internacional, etcétera.

3. El reconocimiento de este derecho deberá incorporarse a los textos fundamentales del Estado español."

Mundo Hispánico

ÍNDICE

Impreso en el mes de mayo de 1981
en I. G. Seix y Barral Hnos., S. A.
Carretera de Cornellà, 134-138
Esplugues de Llobregat
(Barcelona)